BIEN CONNAÎTRE
LES FROMAGES
DE FRANCE

© *Novembre 1995. Éditions Jean-Paul Gisserot. Ce livre a été imprimé et broché par POLLINA, 85400 Luçon - n° 68631. La couverture a été tirée par Raynard, 35130 La Guerche de Bretagne. La mise en page et la composition sont du studio des éditions Gisserot.*

Bernard Teyssandier

BIEN CONNAÎTRE LES FROMAGES DE FRANCE

EDITIONS JEAN-PAUL GISSEROT

Remerciements

Merci aux personnes qui m'ont aidé pour ce livre : Nelson Martinez pour les cartes, Marc Gil pour les schémas concernant la découpe des fromages, Jean-Claude Flouvat maître affineur à "la Ferme d'Olivia", rue Taine dans le XIIème arrondissement à Paris pour ses précieux renseignements, Aimée et Jean-Louis Mondot pour leur accueil chaleureux dans la vallée de l'Ouzoum, Jean-Jacques Péré pour son aide sur "les vins et le fromage".

AVANT-PROPOS

"Français, à vos fromages ! "

Au pays des gaulois, en matière de bonne chère, les fromages en imposent.

Certes, la majorité de la production est aujourd'hui industrielle. Certes, les crémiers et les affineurs ont à lutter contre la suprématie des supermarchés.

Pour autant, la tradition n'a pas disparu, surtout dans les montagnes. Le danger que court le fromage vient d'avantage des dérèglements de la consommation. Trop de gens refusent en effet de faire l'expérience de goûts nouveaux. Le conformisme en matière culinaire, voilà l'ennemi.

Puisse cet ouvrage apprendre à reconnaître, à apprécier et à découvrir les différents fromages de nos régions. Puisse-t-il aussi donner aux jeunes l'envie de s'aventurer sur les voies des saveurs nouvelles.

Les cartes, qui indiquent des chemins, sont là pour guider le voyageur. Elles répertorient avec clarté les principaux fromages dans leurs zones de fabrication d'origine.

Elles invitent aussi à prendre des sentiers moins connus, moins convenus.

I

ORIGINES ET CARACTÉRISTIQUES DU FROMAGE

a) Petite histoire du Fromage.

Il était une fois, environ sept mille ans avant Jésus-Christ, à l'âge de la pierre polie, des hommes qui avaient apprivoisé le mouton. Un jour, du lait de brebis resté trop longtemps dans une jatte *coagula* : le fromage était né.

La fabrication et les techniques se diversifièrent ensuite. Des couleurs, des formes et des noms nouveaux apparurent. Très vite, le fromage et sa mystérieuse *coagulation,* "mysterium casei", intéressèrent les écrivains, les artistes et les savants.

Dès l'Antiquité, la philosophie se servit de l'image du *caillage* pour expliquer la naissance et le mécanisme de la vie. Aristote écrivit dans **De la génération des animaux** : *"C'est comme dans la coagulation du lait : le lait est le corps, et le suc du figuier, ou la présure, fournit le principe coagulant; ce qui vient du mâle produit la même action, en se morcelant dans la femelle."* (729,a).

Le livre de **Job** reprend la même image : la victime malheureuse demande à son Dieu : *"Ne m'as-tu pas coulé comme du lait, puis fait cailler comme du fromage?"* .(X,10)

Le fromage participa ensuite à un discours plus scientifique.

Pline l'Ancien, célèbre écrivain de langue latine, entreprit une **Histoire Naturelle**. Son sujet était gigantesque, encyclopédique. Dans cet ouvrage, Pline signale des traditions fromagères en Gaule : Nîmes, la Lozère et le Gévaudan sont cités, (livre XI). Il note avec justesse l'importance des pâturages pour ce qui est de la qualité du lait.

Dans **l'Économie rurale (De re rustica)**, l'espagnol Columelle apporte des renseignements capitaux sur les techniques de fabrication : l'auteur passe en revue divers ustensiles parmi lesquels la célèbre *faisselle* "fiscella", récipient percé de trous servant à l'*égouttage* du fromage. De la *traite* du lait à la vente du produit, l'histoire du fromage est retracée. (Livre VII, Chap.8)

La littérature fit souvent la part belle au fromage. C'est peu de le dire.

Dans **l'0dyssée** d'Homère, Ulysse présente le cyclope Polyphème comme un maître ès fromages :

"Bientôt nous arrivâmes à son antre; il n'était pas chez lui, car il menait ses gras troupeaux dans les pacages. Entrés dans la caverne, nous en fîmes la revue: les claies ployaient sous les fromages" (IX, v 215 sq). Derrière le cyclope canibale, se cache un pasteur méthodique : *"Il s'installa pour traire chèvres et brebis bêlantes, en bonne règle, et fit venir sous chacun un petit. Ayant fait aussitôt cailler la moitié du lait blanc, il vint le recueillir au fond de corbeilles tressées".*

Poètes et romanciers latins ont également parlé du fromage : **les Géorgiques**, poème de cinq cents vers composé de 39 à 29 par Virgile, rapporte la légende d'Aristée. Celui-ci aurait reçu du centaure Chiron l'art de faire cailler le lait.

Pétrone, l'auteur du **Satiricon**, place le fromage dans le menu grotesque de l'affranchi Trimalcion.

Le fromage, dont l'étymologie vient de "forma", la forme, fut diversement jugé selon les époques.

Au XVIème siècle, sa finesse et sa délicatesse lui valurent les honneurs de cour. Gargantua en envoya au roi son père. Le prince courtois Charles d'Orléans en offrit aux dames de son coeur. Autres temps, autres moeurs...

Avec le XVIIème siècle, le fromage entre en poésie.

Les **Fables** de La Fontaine le consacrent. Dans le **Corbeau et le Renard**, le plus malin des deux compères est récompensé par un délicieux fromage.

Ailleurs, La Fontaine s'amuse à fustiger un rat égoïste qui,

> *"(...) las des soins d'ici-bas,*
> *Dans un fromage de Hollande*
> *Se retira loin du tracas". (VII, 3)*

Dans **le Loup et le Renard**, goupil commet une folle imprudence. Le fromage est encore ici à l'origine de l'histoire :

> *Mais d'où vient qu'au Renard Ésope accorde un point,*
> *C'est d'exceller en tours pleins de matoiseries?*

J'en cherche la raison et ne la trouve point.
Quand le Loup a besoin de défendre sa vie,
Ou d'attaquer celle d'autrui,
N'en sait-il pas autant que lui?
Je crois qu'il en sait plus; et j'oserois peut-être
Avec quelque raison contredire mon maître.
Voici pourtant un cas où tout l'honneur échut
A l'hôte des terriers. Un soir, il aperçut
La lune au fond d'un puits : l'orbiculaire image
Lui parut un ample fromage.
Deux seaux alternativement
Puisoient le liquide élément :
Notre Renard, pressé par une faim canine,
S'accommode en celui qu'au haut de la machine
L'autre seau tenoit suspendu.
Voilà l'animal descendu,
Tiré d'erreur, mais fort en peine,
En voyant sa peine prochaine :
Car comment remonter, si quelque autre affamé,
De la même image charmé,
En succédant à sa misère,
Par le même chemin ne le tiroit d'affaire?
Deux jours s'étoient passés sans qu'aucun vînt au puits.
Le temps, qui toujours marche, avoit, pendant deux nuits,
Echancré, selon l'ordinaire,
De l'astre au fond d'argent la face circulaire.
Sire Renard estoit désespéré.
Compère Loup, le gosier altéré,
Passe par là. L'autre dit :"Camarade,
Je veux vous régaler : voyez-vous cet objet?
C'est un fromage exquis : le dieu Faune l'a fait :
La vache Io donna le lait.
Jupiter, s'il étoit malade,
Reprendroit l'appétit en tâtant d'un tel mets.
J'en ai mangé cette échancrure :
Le reste vous sera suffisante pâture.
Descendez dans un seau que j'ai là mis exprès."
Bien qu'au moins mal qu'il pût il ajustât l'histoire,
Le Loup fut un sot de le croire;
Il descend, et son poids emportant l'autre part,
Reguinde en haut maître Renard.

Ne nous en moquons point : nous nous laissons séduire
Sur aussi peu de fondement;

Et chacun croit fort aisément
Ce qu'il craint et ce qu'il désire.

Saint-Amand, poète des cabarets, ami des goinfres et des joyeux drilles, a chanté la vie joyeuse et gaillarde.

Vivre à la bonne franquette, ***"Coucher trois dans un drap, sans feu ni sans chandelle"*** et finalement célébrer (non sans humour) la forme changeante du Brie, n'est-ce pas là un beau programme ?

O Dieu, quel manger précieux
Quel goût rare et délicieux!
Sûr qu'à plein gosier on crie :
Béni soit le terroir de Brie!

Pont l'Evêque, arrière de nous!
Auvergne et Milan, cachez-vous!
C'est lui seulement qui mérite
Qu'en vers, sa gloire soit écrite.

Je dis en or avec raison,
Puisqu'il ferait comparaison
De ce fromage que j'honore
A ce métal que l'homme adore.

Il est aussi jaune que lui
Toutefois, ce n'est pas d'ennui,
Car sitôt que le doigt le presse,
Il rit et se crève de graisse.

Pour rire nous aussi, signalons sans commentaire cette remarque guillerette de Furetière, auteur d'un grand **Dictionnaire Universel** de la langue française. A l'entrée du mot "fromage", il écrit : *"On dit proverbialement qu'une fille a laissé aller le chat au fromage, pour dire, qu'elle a forfait à son honneur."* (sic).

Terminons enfin ce petit panorama du Grand-Siècle par la recette surprenante de Sganarelle, héros du **Médecin malgré lui** de Molière. Après s'être fait copieusement graisser la patte, Sgnanarelle administre en guise de médicament *"un formage préparé, où il entre de l'or, du corail et des perles, et quantité d'autres choses précieuses"*.

Le XVIIIème siècle, souvent appelé siècle des Lumières ou des Philosophes a eu, entre autres mérites, celui de remettre en honneur le travail manuel.

Dans l' **Encyclopédie** de Diderot, un article insiste sur la fabrication des fromages : des planches dessinées montrent clairement les divers ustensiles utilisés : *faisselles*, moules, presses. Honneur est fait à l'Auvergne et au Roquefort, appelé *"sans contredit, le premier fromage de l'Europe."*

Dans ses **Confessions**, Rousseau souligne déjà l'importance d'une nourriture simple et naturelle : *"Avec du laitage, des oeufs, des herbes, du fromage, du pain bis, et du vin passable, on est toujours sûr de me bien régaler"* .(c, III).

Rousseau voyait dans le fromage un produit moralement saint. Les mets de luxe qui plaisaient tant à Voltaire, Jean-Jacques les condamnait. Les deux philosophes, implacables adversaires dans la vie, auraient même eu du mal à se réconcilier autour d'une table.

La littérature de la seconde moitié du XIXème siècle s'ingénia à montrer dans le détail et sur le vif, la réalité des choses. Bizarrement, le fromage n'eut pas un franc succès chez les grands auteurs réalistes.

Nourriture bon marché, populaire et simple, le fromage fait souvent l'objet de mépris. Dans **Une Fille d'Eve,** Balzac présente Florine comme une femme pauvre, qui s'est ensuite élevée socialement. Sa vie, écrit-il, fut *" la vie de celle qui commence au fromage de Brie, jusqu'à celle qui suce dédaigneusement des beignets d'amour."* L'image balzacienne associe ici clairement le fromage à la pauvreté. Le beignet, dessert élaboré et luxueux, symbolise au contraire l'élévation sociale.

Flaubert va dans ce sens en faisant de l'amateur de fromage un homme fruste et balourd. Pour l'auteur de **Madame Bovary** c'est sûr, Dom-juan n'en mangeait pas, ou alors en cachette des femmes.

Le pauvre Charles Bovary par exemple, *" n'avait jamais été curieux (...) d'aller voir au théâtre les acteurs de Paris.(...)* aussi, ce petit homme mangeait *"le reste du miroton, épluchait son fromage, croquait sa pomme, vidait sa carafe, puis s'allait mettre au lit".* Le mangeur de fromage n'a rien d'un séducteur, Emma Bovary s'en souviendra.

Terminons sur ce sujet par un mot de Baudelaire parlant d'Hegesippe Moreau dans **l'Art Romantique** : *"Il appartenait à la classe de ces voyageurs qui se contentent à peu de frais, et à qui suffisent le pain, le vin, le fromage et la première venue".* L'association finale ne manque pas de clarté et se passe de commentaires...

Nourriture du moins que rien, de l'infortuné et du paysan

grossier, le fromage n'est naturellement pas la tasse de thé des dandys.

Du côté des défenseurs du fromage, car il en existe tout de même, citons d'abord Brillat-Savarin, grand gastronome français. Il écrivit en 1825 **la Physiologie du goût ou Méditations de gastronomie transcendante, ouvrage théorique, historique et à l'ordre du jour, dédié aux gastronomes parisiens par un professeur, membre de plusieurs sociétés littéraires et savantes**.

De cet ouvrage pseudo-scientifique, au style touffu et parfois pédant, l'on retiendra cette amusante maxime : *"Un dessert sans fromage est une belle à qui il manque un oeil"*.

Talleyrand n'aurait certainement pas désavoué la formule. Lui qui savait le poids de la bonne et belle cuisine en matière de politique, aurait affirmé à Metternich lors du Congrès de Vienne en 1815 que le Brie de Meaux n'avait pas d'égal au monde. Son cuisinier favori, le grand Carême, illumina le Directoire avec ses trouvailles gastronomiques. Il renouvela notamment l'art de la table, en donnant à certains plats davantage de couleurs. La célébrité du Roquefort à l'époque s'explique peut-être par le caractère pittoresque et joyeusement bizarre de sa chair bicolore.

Avec Zola, le fromage perd en élégance mais gagne en force et en vigueur.

Dans **le Ventre de Paris**, le marché des Halles est décrit de façon peu ordinaire. Voici les fromages en ordre rangé, semblables à des troupes soldatesques. Un molosse ouvre le pas : *"Là, à côté des pains de beurre à la livre, dans des feuilles de poirée, s'élargissait un cantal géant, comme fendu à coups de hache; puis venait un chester, couleur d'or. (...)Trois brie, sur des planches rondes, avaient des mélancolies de lunes éteintes; deux, très secs, étaient dans leur plein; le troisième, dans son deuxième quartier, coulait, se vidait d'une crème blanche, étalée en lac, ravageant les minces planchettes, à l'aide desquelles on avait vainement essayé de les contenir. Des port-salut, semblables à des disques antiques, montraient en exergue le nom imprimé des fabricants. (...) Les roquefort, eux aussi, sous des cloches de cristal, prennaient des mines princières, des faces marbrées et grasses, veinées de bleu et de jaune, comme attaqués d'une maladie honteuse de gens riches qui ont trop mangé de truffes; tandis que, dans un plat, à côté, des fromages de chèvre, gros comme un poing d'enfant, durs et grisâtres, rappelaient les cailloux que les boucs, menant leur troupeau, font rouler aux coudes des sentiers pierreux. Alors commençaient les puanteurs : les mont-d'or, jaune clair, puant une odeur douceâtre; les troyes, très épais, meurtis sur les bords,* *d'âpreté déjà plus forte, ajoutant une fétidité de cave humide; les camembert, d'un fumet de gibier trop faisandé; les neufchâtel, les limbourg, les marolles, les pont-l'évêque, carrés, mettant chacun leur note aïgue et particulière dans cette phrase rude jusqu'à la nausée; les livarot, teintés de rouge, terribles à la gorge comme une vapeur de souffre; puis enfin, par dessus tous les autres, les olivet, enveloppés de feuilles de noyer. (...) La chaude après-midi avait amolli les fromages; les moisissures des croûtes fondaient, se vernissaient avec des tons riches de cuivre rouge et de vert-de-gris, semblables à des blessures mal fermées; sous les feuilles de chêne, un souffle soulevait la peau des olivet, qui battait comme une poitrine, d'une haleine lente et grosse d'homme endormi".*

Fromages qui coulent, fromages qui puent, fromages coloriés et variés. Zola grossit le trait, parfois jusqu'au mauvais goût. Sa ronde des fromages a souvent des airs hallucinés : *"un flot de vie avait troué un livarot, accouchant par cette entaille d'un peuple de vers. Et, derrière les balances, dans sa boîte mince, un géromé anisé répandait une infection telle, que des mouches étaient tombées autour de la boîte, sur le marbre rouge veiné de gris."*

Terminons cette petite histoire du fromage par une touche de peinture aux relents moins poivrés.

Au XVIIème siècle, l'on représentait, en guise de natures mortes, des "tables mises". A côté de la coupe de vin, de l'aiguière et du jambon, l'on trouvait souvent la boule de fromage.

Ultime preuve enfin des qualités éternelles du fromage en matière d'art, ces mots de Salvador Dali :

" (...) réfléchissant aux problèmes posés par le "super mou" de ce fromage (...) je "vis" littéralement la solution : deux montres molles dont l'une pendrait lamentablement à la branche de l'olivier." Pour représenter le travail insidieux du temps qui passe, le peintre surréaliste s'inspira donc de la coulure du camembert.

b) Les pâturages et le lait.

Le lait sert à fabriquer le fromage et les herbes des prés entrent dans la composition du lait.

De la qualité du lait dépend donc celle des *pâturages*.

La montagne est de ce point de vue un endroit privilégié. Les animaux y paissent en grande liberté, *la transhumance* est encore pratiquée et les herbages naturels sont riches en saveurs et en odeurs.

Certains *pâturages* campagnards ont encore ces qualités. Pourtant, le changement du mode de vie paysan, la productivité et le progrès ont conduit à des bouleversements importants.

La pratique de l'*ensilage* par exemple a modifié considérablement le goût du lait. Les *fourrages* conservés par fermentation ont perdu en subtilités. La saveur du lait et celle du fromage s'en ressentent forcément. Parallèlement, grâce à l'*ensilage*, le paysan a pu augmenter sa productivité.

La traite a elle aussi connu des changements d'importance.

Naguère, elle se faisait à la main, dans la grange. Le fermier consacrait quelques minutes à chacune de ses bêtes, tous les soirs et même deux fois par jour. Il faisait lui-même gicler et mousser le lait du *pis* de ses bêtes. Quand le seau était plein, il le vidait dans un bidon en fer blanc. Cette pratique, en usage il y a encore trente ans, est devenue aujourd'hui très rare et menace de disparaître. Même en montagne en effet, la mécanisation s'est développée.

Des *trayeuses* (le mot n'apparaît pas dans la langue avant 1923) ont été installées dans les granges. Il s'agit d'un système d'aspiration : des espèces de ventouses adhèrent aux *pis* de chaque animal. Le système est identique pour les *bovins*, les *ovins* et les races *caprines*. Néanmoins, le rythme de pulsation est plus rapide pour la traite des brebis. Dans un va-et-vient imitant celui de la main, le lait est aspiré. Il passe ensuite dans des tuyaux pour parvenir dans une sorte de citerne appelée *tank*. Cette cuve est en général réfrigérée. Grâce à ce processus, le lait n'entre pas au contact de l'air. Le centre de ramassage peut alors se charger du produit des traites, si la ferme est facile d'accès et si le paysan le désire bien sûr.

La mécanisation de la *traite* s'explique en partie au moins par des impératifs d'ordre hygiénique. Le lait en effet est extrèmement fragile et les précautions à prendre sont nombreuses.

Outre le lavage des *pis*, le fermier vérifie la qualité du lait en goûtant les premiers jets. Les services de la Chambre d'Agriculture peuvent par ailleurs contrôler chaque animal pendant la période de *lactation*. Demandés par le fermier, ces contrôles n'ont rien à voir avec ceux dits de "qualité". Ces derniers sont obligatoires, ils déterminent le prix d'achat du lait.

Finalement, la mécanisation de la *traite* est un gain de temps pour le paysan : en moins d'une heure, il trait plus de cinquante vaches. A la main, il lui aurait fallu plus de temps pour dépasser la dizaine. Un traiteur averti pouvait passer vingt brebis à l'heure; grâce à la mécanisation, il double sa cadence. Quand on sait que la traite a lieu en général deux fois par jour, on comprend le soulagement des fermiers.

A la main comme à la machine, la *traite* reste néanmoins un moment décisif.

Un changement d'habitude ou un accident peuvent traumatiser les animaux.

De la relation de confiance entre le fermier et son troupeau dépend donc la qualité et la saveur du lait.

Terminons sur une interrogation : faut-il s'inquiéter de voir l'ordinateur entrer sur le plancher des vaches?

Pas nécessairement, certes. Pourtant, il est une certitude : transformer le vacher en "hygiéniste" et la grange en laboratoire ne rendra ni le lait meilleur ni le fromage plus savoureux.

c) Ces "animaux à fromages".

LA VACHE est l'animal qui fournit en France la plus grande quantité de lait. Environ un tiers de la production laitière *bovine* est consacrée à la fabrication des fromages.

Depuis la fin de la seconde guerre mondiale, la diversité du cheptel s'est amoindrie. Les races sont moins nombreuses. Ce phénomène s'explique toujours par la volonté d'accroître la productivité. En effet, les animaux ne fournissent pas tous la même quantité de lait. La "frisonne *pie* noire" est championne en la matière.

Pour ce qui est du fromage plus particulièrement, la "normande" est fort appréciée. Son lait permet une meilleure fabrication du caillage.

La "montbéliarde" est la reine des montagnes : elle se déplace facilement sur les sentiers herbeux et escarpés, elle s'adapte au climat rude des hauteurs.

Le lait de "l'Abondance" sert entre autres à fabriquer le Reblochon. La même "Abondance" et la "Tarine" sont les deux mamelles du Beaufort.

La "pie rouge" se rencontre surtout dans l'Est du pays.

Les noms donnés à ces animaux dépendent généralement de leur région d'origine : c'est le cas de la "maine-anjou".

Parmi les montagnardes, citons encore la "brune alpine" , "l'aubrac" et la "salers".

La France est en tête pour la fabrication des fromages de CHÈVRE. L'animal de maître Seguin se rencontre un peu partout dans le pays. Néanmoins, c'est en Poitou-Charentes, dans le Centre et dans la région Rhône-Alpes que le cheptel *caprin* est le plus important. Le petit élevage fermier est encore fréquent : les troupeaux n'excèdent alors pas plus d'une soixantaine d'animaux. La chèvre peut se nourrir d'une végétation maigre et pauvre, mais elle ne dédaigne pas pour autant des herbages plus gras.

Animal agile, elle gravit volontiers les pentes ardues et escarpées pour y dérober quelques baies. Elle s'accommode donc fort bien du relief montagneux. Citons parmi les bonnes grimpeuses la "pyrénéenne", la "sundgau", "l'apine rousse" ou encore, la "saanen" reconnaissable à son poil blanc.

Les chèvres portent parfois, comme leurs consoeurs les vaches, le nom de leur région d'origine : c'est le cas de la "chèvre de Corse", de la "poitevine". Quant à la "chèvre du Rove ", elle se rencontre bien sûr plutôt en Provence.

Le lait de chèvre coûte cher. Il en faut huit litres pour fabriquer un seul kilogramme de fromage.

Dernier "animal à fromage" mais non des moindres : LA BREBIS. Le mâle s'appelle le bélier. Quand il est castré, il prend le nom de mouton. Les troupeaux de brebis sont bien moins nombreux que ceux de vaches et de chèvres.

On les rencontre en gros dans trois zones géographiques précises.

L 'Aveyron, le sud du Massif central et toute la zone de production du Roquefort constituent la première. C'est essentiellement la race "lacaune" qui est représentée.

Dans les Pyrénées, le Béarn et le Pays-Basque, l'on préfère la "manech" et la "basco-béarnaise". Il arrive au randonneur de les rencontrer en montagne, à plus de deux mille mètres d'altitude.

En Corse enfin, les brebis parcourent le maquis dont elles raffolent.

La brebis peut vivre jusqu'à huit ans mais son rendement en lait est inférieur de beaucoup à celui de la vache.

d) La fabrication.

Elle passe en gros par trois stades : LE CAILLAGE, L'ÉGOUTTAGE ET L'AFFINAGE.

LE CAILLAGE.

Le fromage est élaboré à partir du lait. Outre les matières grasses et azotées, le lait contient un sucre appelé "lactose", de l'eau, des sels minéraux et surtout de la *caséine*. Le mot désigne un mélange d'éléments protidiques qui a la capacité de faire *coaguler* le lait, c'est à dire de lui donner une apparence *grumeleuse*. Le *caillage* désigne donc le passage du lait d'un état liquide à un état semi-solide.

Ce passage peut se faire **naturellement**. Le lait contient en effet des ferments lactiques qui, au contact de l'air, coagulent. Le lait *tourne*. Apparaît alors une sorte de masse granuleuse, le *caillé* ou *coagulum*. Le liquide qui s'en sépare se nomme le *petit lait*.

Le *caillage* peut se faire aussi **artificiellement**. Des substances appelées "enzymes" aident et accentuent alors la coagulation. Parmi elles, la plus fréquemment utilisée est la *présure.* Il s'agit d'une substance animale : elle se trouve dans l'estomac des veaux, plus précisément dans le suc gastrique. L'ajout de présure permet d'obtenir un *caillé* plus régulier : c'est *l'emprésurage.*

Dans la pratique, le *caillage* est à la fois naturel et artificiel. L'emprésurage et l'augmentation modérée de la température ont le don d'accélérer le processus naturel. Le temps de caillage ou le temps de *prise* varie, il va de quarante minutes à quarante-huit heures.

L'ÉGOUTTAGE.

Il permet de passer de l'état semi-solide à l'état solide. La formation du *caillé* a libéré le *petit lait* : il faut à présent accélérer le processus. Certaines fabrications de fromages nécessitent un *caillé* compact : c'est le cas du Brie, de l'Epoisse et des chèvres. D'autres en revanche demandent un *caillé* découpé (Roquefort, Munster, Pont-l'Evêque), brassé (Fourme d'Ambert), pressé (Reblochon, Saint-Nectaire) ou cuit (Beaufort). Toutes ces techniques permettent à "l'eau" du fromage de s'écouler.

Pendant l'*égouttage*, nombre de fromages subissent le *moulage* qui leur donne une forme particulière, ainsi que le *salage*.

Salé, le *caillé* ne développe plus des germes nuisibles; par ailleurs, son goût s'affirme. Le *salage* s'effectue de diverses façons : le *caillé* peut être trempé dans de la *saumure,* frotté avec un chiffon salé ou bien simplement saupoudré de sel.

L'AFFINAGE.

On appelle *affinage* les transformations successives que subit le fromage depuis la fin du *salage* jusqu'au moment où il est consommé. La température, le degré d'humidité, l'aération plus ou moins importante ainsi que les soins attentifs de l'affineur (lavages, *brossages, retournages*, déplacements) déterminent le goût final du fromage. C'est peu dire que l'*affinage* est important.

Le processus de l'*affinage* accroît la solidité du fromage : celui-ci devient compact, il perd de sa mollesse.

Le temps de l'*affinage* varie.

Les fromages mangés *frais* comme les Brousses, ne sont pas affinés. Les fromages de chèvre demandent souvent quelques semaines, le Laguiole est affiné pendant plus de trois mois, le Salers au-delà d'une année.

Un fromage qui a subi un long *affinage* ne possède donc généralement pas une pâte très crémeuse.

Il peut arriver que durant l'*affinage* le fromage soit *brossé, tourné, retourné* et même *lavé.* Peu à peu, il change d'aspect : sa peau se durcit, elle devient *croûte.* Son goût s'affirme et sa texture se modifie : l'Emmental par exemple développe des *trous* ou des yeux. C'est généralement durant l'affinage que l'odeur apparaît, avec plus de force.

Les conditions d'affinage varient selon les types de fromages : les chèvres par exemple nécessitent souvent un affinage à sec avec ventilation. L'expression "affinage à sec en cave humide" doit être bien comprise : les fromages sont posés simplement sur des planches ou des paillis, ils sèchent naturellement au contact de l'air.

e) Les différentes pâtes.

Classer les fromages par pâtes est sans doute la solution la plus simple. Pour ce qui est des différentes saveurs, nous renvoyons à la partie " i) " du même chapitre.

LES FROMAGES À PÂTES FRAÎCHES OU LES FROMAGES FRAIS.

Ce sont les premiers-nés car ils résultent d'une *coagulation* naturelle. Aucune enzyme n'est ajoutée pour accélérer le *caillage.*

Egouttés, moulés et salés, ces fromages très laiteux se présentent tout de blanc vêtus. Ils ont un goût légèrement acidulé. Sans doute est-ce pour le relever qu'ils sont souvent aromatisés.

Les fromages frais sont élaborés à partir de lait de vache, de chèvre ou de brebis.

Pour fabriquer les *double* et les *triple-crème*, fromages dont le taux en matières grasses dépasse 60%, l'on ajoute de la crème fraîche.

LES FROMAGES À PÂTES MOLLES ET À CROÛTE FLEURIE.

Il s'agit le plus souvent de fromages au lait de vache.

La *coagulation* procède d'un *caillage* naturel mais aussi d'un *emprésurage*. Le *caillé* est versé, moulé, égoutté et salé.

Ces fromages, en général de forme cylindrique, sont souples sous le doigt. Ils ont une peau duveteuse, plus ou moins blanche, parfois veinée de brun. Elle provient des moisissures *ensemencées* dans le caillé au moment du *salage*. La pâte est d'une couleur jaune ocre.

L'*affinage* se fait souvent dans un local ventilé appelé *hâloir*.

Parmi les plus connus de cette famille de fromages, citons le Camemberg, le Brie et le Coulommiers.

LES FROMAGES À PÂTES MOLLES ET À CROÛTE LAVÉE.

La fabrication de ces fromages est quasiment identique à celle de la famille précédente. Toutefois, au cours de l'*affinage*, ils sont *lavés*. Généralement, cela se fait avec de l'eau additionnée de *saumure*. Il arrive parfois que de l'alcool (marc, vin, cidre, bière) soit ajouté à l'eau.

Ce processus particulier de fabrication n'est pas sans conséquence. Le *lavage* préserve la souplesse de la *croûte* et la colorie souvent en orangé. Il modifie le goût du fromage sans le rendre aussi fort que l'odeur, souvent marquée, le laisserait craindre.

Le Maroilles, le Reblochon, le Pont-l'Evêque, le Vacherin et le Munster appartiennent entre autres à cette famille.

LES FROMAGES À PÂTES MOLLES ET PERSILLÉES.

La couleur bleu vert qui parsème leur pâte fait songer au persil frisé. Cette famille que certains appellent celle des *bleus* comprend essentiellement des fromages au lait de vache. Quelques chèvres viennent néanmoins s'y ajouter.

Le Roquefort, quant à lui, est fabriqué à partir du lait de brebis.

Les moisissures des bleus proviennent d'un ensemencement artificiel. Le plus souvent, ces fromages sont piqués avec des aiguilles qui coucourent au développement de ces moisissures.

L'*affinage* se fait généralement dans des *hâloirs* et dans des caves humides.

Ces fromages à forme cylindrique reçoivent souvent le nom de *pains* ou de *fourmes*. Leur goût varie selon les appellations mais les pâtes persillées sont plutôt des fromages à saveur corsée.

LES FROMAGES À PÂTES PRESSÉES NON CUITES.

Ils sont, pour la majorité, fabriqués à partir de lait de vache. Néanmoins, le fromage dit des "Pyrénées" est fait avec du lait de brebis.

Une fois l'*égouttage* accéléré par découpe et brassage du *caillé*, la boule de fromage est *pressée*. Le *salage* intervient ensuite, par immersion dans de la *saumure* le plus souvent, et par frottage éventuellement. L'*affinage*, d'une durée de plusieurs mois, se fait dans des caves humides.

Ces fromages sont souvent *brossés*, *lavés* ou *morgés*, retournés enfin, à de multiples reprises. La pâte devient ferme à force d'un *affinage* prolongé et à cause de la pression exercée après le caillage. Ces fromages peuvent atteindre des tailles respectables. Le poids des Cantal, Salers et Laguiole oscille entre quarante-cinq à cinquante kilos. Les *tommes* ou *fourmes* prennent alors le nom de *meules*.

LES FROMAGES À PÂTES PRESSÉES ET CUITES.

Ces fromages sont pressés après *égouttage* et *salage* mais auparavant, le lait est chauffé à plus de 50°C. Cette opération permet une plus grande conservation.

Il faut dire que cette famille est par tradition montagnarde : les *meules,* de taille appréciable et d'une conservation aisée, permettent de constituer une réserve alimentaire commode. L'*affinage* est long : il commence dans des caves froides; il se poursuit parfois dans des caves plus chaudes. Ce changement de température donne lieu à une réaction qui affecte la pâte. Des yeux ou des *trous* apparaissent : ils sont nombreux dans l'Emmental, rares dans le Comté. Le Beaufort n'en doit pas comporter.

LES FROMAGES DE CHÈVRES.

Par commodité, il apparaît plus judicieux de faire une catégorie à part pour les chèvres.

Cela ne va d'ailleurs pas sans poser problème. En effet, il existe des chèvres qui se mangent *frais* : ils auraient donc pu figurer dans la première famille. L'on a par ailleurs fait référence à des chèvres "bleus" : la famille des pâtes persillées leur aurait mieux convenu. Preuve qu'un classement n'est jamais parfait.

La fabrication des fromages de chèvres reprend le processus habituel. Après le *caillage*, souvent accéléré par l'*emprésurage*, ces fromages sont *moulés* et *égouttés* dans des *hâloirs* ventilés. L'*affinage* dure quelques semaines, en général pas plus de trois. La *croûte* se forme alors et les couleurs changent. Les fromages fermiers ont des moisissures naturelles bleues et orangées. Certains fromages industriels (qui se trouvent toute l'année du fait de la possible congélation du *caillé*) ont une peau plus blanche : elle s'obtient par *ensemencement* artificiel. La couleur dite *cendrée* des fromages au lait de chèvre n'est pas naturelle. Le *cendrage* accélère l'affinage certes, mais l'aspect exotique de la couleur grise est aussi un atout incontestable pour la vente.

Cette famille comporte une majorité de fromages à pâte molle et à croûte naturelle : Crottin de Chavignol, Pouligny-Saint-Pierre. Outre les pâtes fraîches représentées par le Claquebitou par exemple, l'on trouve également des pâtes molles à croûte fleurie comme le Sainte-Maure, à croûte lavée comme le Chevrotin.

Le fromage de chèvre est quasiment une spécialité nationale. Les Français en mangent 40000 tonnes par an. Ce chiffre imposant ne doit pourtant pas faire illusion : il correspond à moins de 6% de la consommation totale de fromage.

LES FROMAGES À PÂTES FONDUES.

Dans cette famille de fromages, les produits industriels ont la primauté. Le plus souvent, les pâtes fondues résultent d'un mélange de plusieurs fromages auquel on ajoute du lait (généralement en poudre), de la crème fraîche et éventuellement des aromates, pour parfumer le tout.

Les pâtes fondues se trouvent surtout en supermarchés, sous forme de tablettes rectangulaires ou carrées.

Le goût de ces fromages à tartiner est souvent assez neutre, la pâte a un aspect luisant, couleur ivoire. Cela s'entend bien sûr pour les fromages non aromatisés.

f) Les A.O.C.

Pour les fromages, les "Appellations d'Origines Contrôlées" datent de 1958. La loi de 1919 sur les vins servit de modèle à l'I.N.A.O (Institut national des appellations d'origine) qui ainsi, élargit son domaine d'action.

Cette création s'explique par la volonté de contrebalancer une logique productiviste et par le désir de mettre fin à des fabrications anarchiques.

Sans l' A.O.C, un fromage peut être fabriqué n'importe où, son nom n'est pas protégé.

C'est encore parfois le cas : tous les fromages ne bénificient pas en effet de cette appellation. L'Emmental par exemple, fabriqué dans le Jura avec du lait d'*alpage* est produit en grande quantité en Bretagne, avec du lait *pasteurisé* et souvent d'*ensilage*.

Pour autant, les A.O.C ne résolvent pas tout. Rien n'oblige par exemple une zone de fabrication possédant le label d'utiliser le lait *cru* plutôt que le lait *pasteurisé*. Il faut donc rester vigilant. Si l'Abondance, le Beaufort, le Bleu de Gex, le Brie de Meaux et de Melun, le Camembert de Normandie, le Salers, le Comté, le Laguiole, le Vacherin Mont d'Or, le Reblochon et le Roquefort sont normalement fabriqués au lait *cru*, les autres A.O.C peuvent être faits avec du lait *pasteurisé*. Il faut se renseigner au moment de l'achat.

Les A.O.C récompensent généralement des productions qui ont déjà une certaine notoriété. Elles autorisent la fabrication du fromage labellisé uniquement dans une zone géographique précise.

Les groupements A.O.C ont par ailleurs tenté d'obtenir des monopoles pour les formes des fromages. Peine perdue. C'est la raison pour laquelle l'on trouve par exemple des pyramides de fromages de chèvre ailleurs que dans le Poitou. Les producteurs de Valençay et de Pouligny-Saint-Pierre ont dû s'y résoudre.

Les pouvoirs de la commission de contrôle sont importants : ils peuvent aller jusqu'à demander le retrait d'un fromage si les normes de qualité ne sont pas respectées.

Les producteurs qui désirent entrer dans ce club fermé doivent se regrouper en syndicats de défense et être capables de promouvoir leurs dossiers. Avant la parution du décret définitif d'acceptation au "Journal officiel", des commissions d'enquête sont nécessaires.

L'A.O.C se reconnaît à la plaque apposée sur la *croûte* ou sur l'emballage. Elle comporte les initiales suivantes : **CNAOF** (Comité National des Appellations d'Origines des Fromages).

La liste sera sûrement allongée. Actuellement, la voici en l'état et par ordre alphébétique; 10% environ de la production nationale est représentée :

ABONDANCE
BEAUFORT
BLEU D'AUVERGNE
BLEU DES CAUSSES

BLEU DE GEX
BRIE DE MEAUX
BRIE DE MELUN
CAMEMBERG DE NORMANDIE
CANTAL
CHABICHOU DU POITOU
CHAOURCE
CROTTIN DE CHAVIGNOL
COMTÉ
EPOISSES
FOURME D'AMBERT
LAGUIOLE
LANGRES
LIVAROT DU PAYS D'AUGE
MAROILLES
MUNSTER
NEUFCHÂTEL
OSSAU-IRATY
PICODON
PONT L'ÉVÊQUE
POULIGNY SAINT-PIERRE
REBLOCHON
ROQUEFORT
SAINTE-MAURE DE TOURAINE
SAINT-NECTAIRE
SALERS
SELLES-SUR-CHER
VACHERIN MONT-D'OR

Est actuellement discutée l'attribution d'une A.O.C pour le Broccio corse, le bleu de Sassenage, le Cabécou de Rocamadour, la Tomme de Savoie, le Valençay et le Pélardon des Cévennes.

g) Du lait cru à la pasteurisation.

Le lait *cru* est un lait *entier* c'est à dire qu'il n'a pas été *écrémé*. Il possède toutes ses matières grasses naturelles. Il ne peut être commercialisé que quarante-huit heures après la *traite*, sa conservation n'excède pas vingt-quatre heures dans le réfrigérateur. C'est donc un produit fragile. Dans la mesure où il n'a pas été chauffé, ce lait est commercialisé à l'état naturel. Il a un goût subtil, surtout quand il provient d'herbages de montagnes ou de campagnes peu industrialisées. Utilisé pour fabriquer des fromages fermiers ou industriels de choix, le lait cru est généralement une preuve d'une haute qualité.

Le lait *pasteurisé* est un lait chauffé. On ne le fait pas forcément bouillir mais sa température est augmentée (72°C à 85°C.) Ce lait peut être vendu soit *entier*, soit *écrémé,* soit demi-écrémé (de 15 à 18 grammes de matières grasses par litre). Il est commercialisé rapidement après la *traite* mais sa conservation peut aller jusqu'à cinq jours en réfrigérateur. Le lait *pasteurisé*, *entier* ou *écrémé* sert à fabriquer de nombreux fromages industriels. Dans la mesure où il est moins fragile, les fromages au lait *pasteurisé* peuvent être stockés plus longtemps.

Le lait *entier* est une matière vivante, il peut donc à ce titre contenir des germes pathogènes. La *pasteurisation* modifie certes le goût du *caillé*, mais elle supprime normalement ces germes.

Dans les années 1980-90, l'usage du lait *cru* fut menacé. Il fallut mener bataille afin de sauvegarder une fabrication fromagère de tradition.

Le "Quotidien de Paris" du 18-10-1985 titrait alors : " Les Allemands déclarent la guerre aux fromages français."

Des intoxications recensées aux USA et attribuées au lait *cru*, avaient conduit en effet certains groupes de pression allemands à demander l'arrêt des fromages à base de lait cru.

Le même article se terminait pourtant par un joyeux pied de nez : il révélait in fine que les fromages responsables de l'accident avaient été finalement fabriqués à partir d'un lait ... *pasteurisé.*

L'affaire devint plus sérieuse avec le Vacherin.

Le "Matin" du 26-12-87 signalait des cas de listériose, maladie due à une bactérie très dangereuse et décelée dans certains fromages.

En Suisse et en Belgique, l'on parlait même à l'époque du "Vacherin mortel"(sic), fromage qui était, bien entendu, français.

"Libération" du 08-12-87 reprenait l'affaire : seul le Vacherin français Mont-d'Or aurait été porteur d'un germe pathogène. Fin novembre, cette production prestigieuse était arrêtée, au grand desespoir des montagnards du Haut-Doubs.

Le 01-01-88,"Le Quotidien de Paris" commentait un article du très sérieux journal "Science et Vie". La revue affirmait que la bactérie listéria était bien présente dans la *croûte* du Vacherin français. Au même moment, le syndicat inter-professionnel protestait et le ministre de l'agriculture parlait de "psychose".

La France semblait alors, il est vrai, fortement isolée. En face d'elle, l'Europe des hygiénistes se mobilisait, résolue à sévir, au nom de la Santé. Certains jusqu'au-boutistes allèrent jusqu'à jeter la suspicion sur toutes les pâtes molles à croûte lavée. Un vent de panique soufflait sur le pays du fromage.

Des associations de défense du lait cru s'organisèrent alors : en novembre 1991 plus de trente mille signatures étaient recueillies en France.

Un accord européen signé en juin 1992 scella la victoire des défenseurs de la tradition : Gardarem lou lait *cru*. Le fromage avait eu chaud.

A posteriori, certaines informations pourraient pourtant faire sourire : au bout du compte, il fut clairement établi que le Vacherin tueur était fabriqué à base de lait *pasteurisé* ! ("l'Express" du 12-12-91).

En outre, l'on s'aperçut comme par hasard que la listéria ne logeait pas seulement dans les fromages. Des organismes scientifiques certifièrent qu'elle se trouvait en effet dans la salade verte, dans les fruits de mer et même dans la charcuterie. Seule une concentration excessive la rendait nocive.

Cette bataille, menée dans une ambiance fébrile, parvint néanmoins à légitimer les 15% de la production nationale de fromages au lait *cru*.

Depuis, les amateurs et les gourmets respirent mieux.

Preuve que les traditions fromagères françaises font l'unanimité au-delà de nos frontières, le soutien remarqué.du Prince Charles d'Angleterre. Au début du mois de mars 1992 en effet, Sa Majesté en visite en France avait ironisé sur les prétentions bureaucratiques en matière culinaire : *" Il faut bien sûr un bureau pour vérifier que tel ou tel fromage n'est pas de qualité indigne. Mais que ce bureau ne s'avise pas de nous dire que tel fromage régional traditionnel contient trop de fromage!".*

h) Les saisons du fromage.

Certains fromages sont fabriqués toute l'année. Ils gardent toujours le même goût. Ce sont généralement des productions industrielles, élaborées à partir de lait *pasteurisé*.

Ces fromages-là n'offrent nulle surprise.

En revanche, les fromages fabriqués à partir du lait *cru* de *pâturage* ou d'*alpage* suivent le cours des saisons. Qui a vécu en dehors des villes sait bien que l'herbe des champs n'est pas toujours verte et drue. La *transhumance* en montagne est l'affaire de quelques mois or, les fromages les plus naturels et les plus authentiques demandent une herbe fraîche. Ceux-ci ne peuvent donc pas être fabriqués toute l'année avec la même qualité.

En gros, la meilleure saison pour les fromages au lait *cru* va de la fin de l'été au tout début du printemps. Mars et avril sont sûrement les mois les plus difficiles.

Pour éviter les erreurs, le crémier est là. Il connaît les saisons des fromages qu'il vend, il vous conseillera. N'arrivez donc pas forcément avec une idée fixe en tête mais laissez-le vous guider.

i) Les saveurs.

L'on peut, pour des raisons pratiques, opérer un classement des fromages par saveurs.

La *saveur fraîche* est celle des fromages blancs et frais.

La *saveur neutre* convient aux pâtes fondues, aux fromages allégés et à certains pasteurisés industriels.

La *saveur douce* concerne les fromages crémeux, style triple-crème et chèvres fermiers frais.

Les pâtes molles, les chèvres affinés et le Vacherin entrent dans la catégorie des *saveurs marquées*.

Quand les fromages à pâtes molles sont "bien faits", leur saveur devient *prononcée*. Le Beaufort et le vieux Cantal ont également une *saveur prononcée*.

L'expression *saveur très prononcée à forte* sera employée pour la plupart des pâtes molles à croûte lavée et des pâtes persillées.

Certains fromages, notamment ceux qui ont subi une macération ou qui sont aromatisés ont parfois une *saveur très forte*.

j) La destination : du fromage des champs au fromage des villes.

Les **fromages fermiers** sont vendus le plus souvent sur les marchés proches du lieu de leur fabrication. Il est donc logique que ces fromages ne comportent pas d'emballage et qu'ils se présentent *à nu*. N'hésitez pas à discuter avec le fermier pour connaître leur nom et leur mode de fabrication.   Certains crémiers se ravitaillent à la ferme ou dans des laiteries artisanales. Pour faciliter le choix de leurs clients, ils mettent des étiquettes qui renseignent sur la région d'origine de ces fromages. La nature du lait est parfois indiquée. Là encore, il ne faut pas hésiter à interroger le vendeur : vous êtes en droit de savoir ce que vous achetez.

Les **fromages laitiers**, de petite ou de grande industrie, nécessitent un emballage et un étiquetage particuliers. Ils sont souvent commercialisés dans tout le pays. Pour des raisons évidentes d'hygiène, il faut faciliter leur transport, d'où un emballage en bois et/ou sous plastique.

La vente a ses exigences : sur les étiquettes sont indiqués le nom du fromage, sa provenance, le type de lait utilisé, le taux de matières grasses. Il arrive même que le nom du fabricant et son adresse soient mentionnés. S'il s'agit d'A.O.C, le label doit être très visible.

Dans les appellatifs qu'il faut privilégier pour déguster un fromage de haute qualité, l'on retiendra donc :

-la mention **"fromage au lait cru"**. Si rien n'est marqué sur l'emballage, **il s'agit obligatoirement d'un lait pasteurisé !**

-la mention **"fromage fermier"**.

Attention néanmoins : qui dit **fromage fermier** ne veut pas dire forcément **fromage au lait cru**. Il faut donc préférer l'appellatif **" fromage fermier au lait cru"**. Le fait en effet que les fromages soient fabriqués à la ferme ne présage en rien sur la qualité finale. Nombre de petites laiteries ou de coopératives fournissent des produits remarquables en qualité et en saveur.

II

LES FROMAGES DE FRANCE

a) De la nécessaire classification.

Les cartes respectent le découpage régional actuel. Les fromages les plus connus sont inscrits en caractère gras. Ils apparaissent dans leur meilleure zone de production.

Les commentaires apportent des renseignements sur la nature des fromages ainsi que sur leur fabrication.

Tous les fromages régionaux fermiers ne sont pas recensés. Certains sont très locaux, il est difficile de tous les débusquer.

Les principales fabrications industrielles sont juste mentionnées.

b) Fromages du Nord-Pas-de-Calais et de la Picardie.

Ce sont, en très grande majorité, des **fromages au lait de vache.**

LE MAROILLES, fromage protégé par une A.O.C, est le plus connu. Il se présente sous une forme carrée : 12 à 13 cm de côté pour 6 de hauteur. Sa croûte, couleur orange détrempé, est striée, sculptée. Il ne faut en aucun cas la manger.

Le Maroilles appartient à la famille des pâtes molles à croûte lavée. Salé par frottement puis par immersion dans la saumure, le Maroilles frais gagne en souplesse. Affiné en cave pendant au moins huit semaines, le fromage est ensuite retourné et brossé.

Achetez-le quand il est tendre sous le doigt. Sa pâte offre une couleur jaune paille.

NORD

Maroilles

PAS-DE-CALAIS

Neufchâtel

Pont l'Evêque

NORMANDIE Livarot   ILE-DE-
Camembert   FRANCE Brie de Meaux
             Brie de Melun

Selles-sur-
Cher

Curé nantais

BRETAGNE

LORRAINE

ALSACE

CHAMPAGNE   Munster
ARDENNES   Géromé

Chaource

Epoisses

CENTRE Crottin
        de Chavignol

PAYS DE
LOIRE

Sainte-Maure
de Touraine

BOURGOGNE

Vacherin
FRANCHE-
COMTÉ
Comté

Pouligny-
Saint-Pierre

Chabichou
du Poitou

Bleu
d'Auvergne

Langres   Bleu de Gex

Abondance

Fourme d'Ambert

POITOU-CHARENTES

Saint-
Nectaire

Reblochon
RHÔNE-ALPES

LIMOUSIN

Cantal
AUVERGNE

Beaufort

Salers

Bleu des
Causses   Laguiole

Picodon

AQUITAINE

Roquefort

Pélardon
des Cévennes PROVENCE-ALPES-

MIDI-PYRÉNÉES

Banon CÔTE D'AZUR

Ossau-Iraty

LANGUEDOC-
ROUSSILLON

Nic
Broco

Brebis Pyrénées

CORS.

D'abord fabriqué dans l'Avesnois, le production du Maroilles s'étend aujourd'hui à la Thiérache et à ses riches herbages. Ce fromage contenant 45% de matières grasses pèse environ 350 g. Il est parfois fabriqué au lait cru mais le plus souvent à partir d'un lait pasteurisé. Dans le premier cas, la meilleure période pour le déguster va de l'été à la fin de l'hiver. Saveur prononcée à forte.

Le Maroilles connaît des variantes. Le mode de fabrication reste à peu près le même; en revanche, la taille est souvent plus petite. C'est le cas du **Sorbais** (du nom d'un petit village de la Thiérache) ou **Monceau**, du **Manicamp**, du **Mignon** ou **Mignonnet**, ou **Quart-Maroilles** enfin, qui ne pèse que 180g.

LE LARRON D'ORS ou **LARRON** est un Maroilles fabriqué à partir d'un lait partiellement écrémé. Il n'a que 30% de matières grasses. Sa production est cantonnée dans les environs d'Ors dans le Nord.

Le Larron est une pâte molle à croûte lavée. L'affinage dure sept semaines en cave humide. Ce fromage a un goût relevé. Apparenté au Maroilles, il est toutefois moins savoureux que son célèbre parent.

LA BAGUETTE LAONNAISE entre elle aussi dans la catégorie des fromages apparentés au Maroilles. Il s'agit d'une fabrication industrielle récente. Ce fromage au lait de vache se présente sous la forme d'une bûchette de 15 cm de long et de 6 de côté. Il existe aussi des demi-baguettes. Après salage par immersion, l'affinage se fait en cave humide pendant quatre mois. La croûte est d'un brun foncé. Ce fromage a une saveur très prononcée.

LE GRIS DE LILLE ou **PUANT MACÉRÉ** ou **PUANT DE LILLE** OU **MAROILLES GRIS** est un fromage au lait de vache. Le saumurage et l'affinage en atmosphère humide pendant deux à six mois lui donnent un goût très affirmé, parfois violent. Seuls des vins corsés peuvent accompagner ce fromage fabriqué à la ferme ou en petites laiteries.

Le Puant se présente sous la forme d'un pavé de 6 cm d'épaisseur et de 12 de côté. Sa croûte est visqueuse et il dégage une forte odeur. Il est à son maximum de qualité en hiver.

LE BERGUES devient rare. Ce fromage au lait de vache et à pâte molle est affiné deux mois en cave humide. Il reçoit des lavages réguliers à la bière. Il se présente sous la forme d'une

FROMAGES DU NORD-PAS-DE-CALAIS ET DE LA PICARDIE.

Pas de Calais

• Dunkerque

Bergues ★
Bergues

✿ Calais
• Esquelbecq

**Édam
Français**

• Boulogne-s.-Mer

Mimolette *Puant*

PAS-DE-CALAIS
• Lille

• Béthune ●

NORD

H a i n a u t

Saint-Pol-sur-Ternoise ●
• Lens

• Douai
• Valenciennes

Arras ●
Belle des Champs

Boulette de Cambrai
Boulette d'Avesne

Cambrai ●
Maroilles ★

Abbeville ●
C a m b r é s i s
• Avesnes-s

Somme
Ors ●
Avesnois

P i c a r d i e
SOMME
Maroilles

Amiens ✿
Oise

St-Quentin ●

T h i é r a c h e

SEINE-
Rollot
Dauphin

MARITIME
Rollot
AISNE

● Montdidier

OISE
Laon ●

●Beauvais
Compiegne ●
Baguette Laonnaise

Oise
● Soissons

Seine
Reims ●

N

boule de 2kg. Sa saveur est plutôt douce. Il comporte un avantage pour les obsédés du poids : fait à partir d'un lait écrémé, il n'a que 20% maximum de matières grasses. On le trouve entre Bergues et Dunkerque.

Pour fabriquer un Maroilles, on moule et retourne le caillé. Le lendemain, on le démoule et on le sale, par frottement. Le surlendemain, on le trempe dans un bain de saumure. La préparation ainsi obtenue s'appelle le "blanc".

Pour faire un **DAUPHIN** il faut ajouter au "blanc" de l' estragon, du poivre et des clous de girofles en poudre.

Le coût élevé de ce fromage explique qu'on ne le trouve pas facilement dans les crémeries. Provenant essentiellement de l'Avesnois et de la Thiérache, cette pâte molle à croûte lavée est affinée pendant deux à trois mois. Le goût est relevé, l'odeur forte. La forme est originale : le Dauphin revêt l'apparence d'un coeur, d'un lingot ou d'un croissant.

La tradition a donné à ce fromage une explication historique. Après la paix de Nimègue (1678), alors que Louis XIV prenait possession du pays, un fromage en forme de dauphin aurait été offert en hommage au petit dauphin, jeune fils du roi.

LA BOULETTE D'AVESNES, qui se trouve facilement dans tout le pays, est fabriquée à l'aide de fromages accidentés, en cours d'affinage. Sa forme conique et irrégulière de 10 cm de hauteur est facilement reconnaissable.

D'apparence orange foncé, ce fromage au lait de vache a un goût très puissant. Comme le Dauphin, il est aromatisé : persil, ail, estragon et poivre sont mélangés au caillé égoutté. La Boulette d'Avesnes s'affine en cave humide pendant trois mois.

Cette pâte molle à croûte naturelle est moins chère que le Dauphin. La tradition fermière est encore vivace : ce fromage faisait partie du casse-croûte des mineurs. Pour accélerer le dessèchement, on le déposait sur des planches clouées, à la partie supérieure des fenêtres.

La Boulette d'Avesnes est aussi fabriquée à grande échelle avec un lait pasteurisé : renseignez-vous donc avant de l'acheter.

LA BOULETTE DE CAMBRAI a la même forme que celle d'Avesnes mais elle est blanche, vue de l'extérieur.

Ce fromage ne passe pas par le stade de l'affinage puisqu'il entre dans la catégorie des pâtes fraîches. Sa saveur est douce, malgré les aromates (persil, estragon, ciboulette, poivre concassé). La production est réduite au Cambrésis. Ce fromage est délicieux avec des vins rouges légers.

LE ROLLOT est un fromage de Picardie. Il se présente le plus souvent sous la forme d'un cylindre d'environ 9 cm de diamètre. Elaboré à partir de lait de vache, il est affiné en cave humide pendant deux mois, les lavages sont réguliers. Evidemment, il est nécessaire d'enlever la peau. Les fabrications fermières sont encore vivaces pour ce fromage dont la meilleure provenance se situe dans les environs de Montdidier. Le Rollot peut parfois prendre la forme d'un coeur : il s'appelle alors **Angelot** ou **Monchelet**.

Des variantes du Rollot existent. Citons :
-le **coeur d'Arras**
-le **coeur d'Avesnes**
-le **coeur de Thiérache**, fabriqué au lait pasteurisé.
-le **Guerbigny**

Ces fromages dégagent tous une odeur forte, leur saveur est très prononcée.

Pour rester dans les fromages aux goûts relevés, citons encore le **FROMAGE FORT DE BETHUNE.**

Ce fromage fermier au lait de vache n'a pas de croûte. Il est affiné en pot pendant trois mois. Persil, estragon et poivre le parfument. Fabriqué dans l'Avesnois, en Thiérache et dans l'Hainaut, il a parfois un goût violent.

La région Nord-Pas-de-Calais et Picardie fabrique aussi des **fromages à pâtes pressées.**

Une abbaye près d'Esquelbecq produisait il y a peu un fromage apparenté aux *trappistes* appelé le **SAINT WINOC.**

L'abbaye de Belval fabrique encore le **TRAPPISTE DE BELVAL.** Ce fromage au lait de vache appartient à la famille des pâtes pressées non cuites et à croûte lavée. Il est affiné dans des caves humides pendant deux mois. Il se présente sous la forme d'une boule épaisse de 2 kg. Il a une saveur très douce.

LA MIMOLETTE FRANÇAISE est fabriquée dans les Flandres à partir de lait de vache pasteurisé. La pâte, pressée et réchauffée, est ensuite colorée en orange. Après un affinage du six à dix-huit mois, entrecoupé de brossages, la croûte revêt une couleur sombre, d'un gris granuleux.

La Mimolette peut se déguster au bout de six mois, sa chair est tendre, moelleuse. Si l'affinage se prolonge, la saveur est plus prononcée mais aussi plus délicatement parfumée. Ce fromage est parfois appelé **Vieux Lille** ou encore **Boule de Lille**.

LE GOUDA FRANÇAIS est lui-aussi fabriqué dans la région des Flandres. A la différence du gouda étuvé de Hollande, il est le plus souvent consommé jeune. Ce fromage au lait de vache pasteurisé, se présente sous la forme d'une boule de 4 kg environ. Sa saveur est douce, sa croûte lisse et sa pâte souple.

Le meilleur **EDAM FRANÇAIS** provient de la Flandre. Ce fromage de 1,5 kg à pâte pressée et à croûte teintée en rouge, est apprécié à des degrés différents d'affinage.

Après deux à trois mois, il a une saveur douce, sa pâte est souple. **Demi étuvé**, il est plus relevé. **Etuvé**, il est consommé après un an d'affinage : ce fromage industriel au lait pasteurisé a alors une saveur prononcée, volontiers piquante.

Le beau nom de **MONT-DES-CATS** provient d'une abbaye des Flandres. Ce fromage de petite industrie à pâte pressée non cuite est fabriqué à Godwaersvelde. L'affinage se fait en cave humide, pendant deux mois. La saveur est douce à prononcée.

Puisqu'il est question de fabrication industrielle, citons enfin la **BELLE DES CHAMPS**, fromage à saveur douce et crémeuse, diffusé dans tous les supermarchés.

c) Fromages de Champagne-Ardennes et d'Alsace-Lorraine.

La Champagne est bien entendu célèbre pour son vin. Ses fromages valent également le détour.

Le plus connu est évidemment le **CHAOURCE** qui bénéficie d'une A.O.C. Un village de l'Aube a donné naissance à ce fromage à la pâte blanche, légèrement salée et au goût fruité.

La croûte est duveteuse, légèrement bosselée et blanchâtre à l'oeil. Selon le degré d'affinage, qui va de quinze jours à deux mois, elle peut virer au rose pâle.

Le chaource est un fromage au lait de vache, appartenant à la famille des pâtes molles à croûte fleurie. La fabrication est assurée par des petites laiteries. Il existe en deux formats : 450 g pour 11 cm de diamètre ; 200 g pour 8 cm de diamètre.

FROMAGES DE CHAMPAGNE-ARDENNES ET D'ALSACE-LORRAINE.

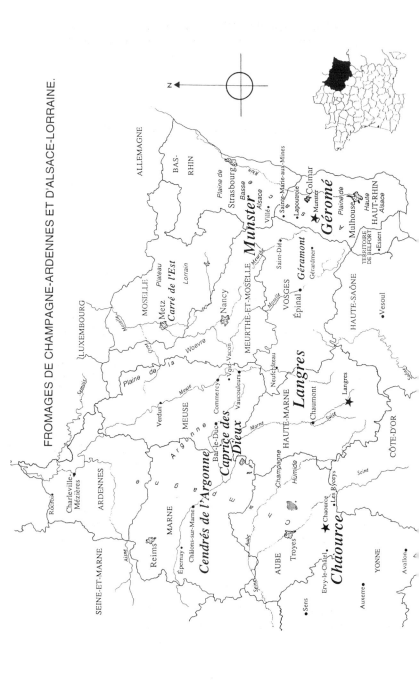

L'EVRY-LE-CHÂTEL, du nom d'un village de l'Aube non loin de Chaource, aurait été créé par les religieux de l'abbaye de Soutigny. Ce fromage de 500 g ressemble au Chaource sur bien des points. Néanmoins, sa forme conique permet de le différencier. La meilleure saison pour déguster l'Evry-le-Châtel va de l'été à l'automne.

En Champagne , les **CENDRÉS DE L'ARGONNE** sont très appréciés. Eux aussi composaient le casse-croûte du mineur. Le nom désigne en fait plusieurs fromages qui ont tous la particularité d'être affinés sous la cendre. Le plus souvent, ils sont de forme cylindrique, d'une épaisseur n'excédant pas 5 cm. Citons parmi eux :
-les **cendrés des Riceys**
-les **cendrés d'Heiltz-le-Maurupt**, village près de Vitry-le-François, dans la Marne.
-les **cendrés de Noyers-le-Val**
-les **cendrés de Troyes**
-les **cendrés de Barberey**
-les **cendrés d'Eclance.**

LE ROCROI ou **CENDRÉ DES ARDENNES** est sans doute le plus connu.
Tous ces fromages sont faits au lait de vache écrémé. Ils se présentent sous la forme de disques plats de 200 à 300 g selon leur diamètre. Après égouttage, le caillé est rangé dans des pots de grès. De la cendre recouvre alors l'appareil.
L'affinage dure entre deux et trois mois. Le fromage obtenu dégage une forte odeur et arbore une couleur gris foncé. Un autre mode de fabrication est également possible : après avoir passé un à deux jours dans de la cendre, l'affinage se poursuit à sec en cave humide. La saveur de ces cendrés est prononcée et fruitée.

LE BARBEREY ou **FROMAGE DE TROYES** OU **TROYEN CENDRÉ** est lui aussi fabriqué à partir de lait de vache écrémé. Il appartient à la famille des pâtes molles. Sa croûte est cendrée. L'affinage se fait à sec, pendant un mois. De forme cylindrique, ce fromage à saveur légèrement piquante, est essentiellement fabriqué en petites laiteries.

L'IGNY ou **LE TRAPPISTE D'IGNY** est un fromage au lait de vache, à pâte pressée non cuite. Ce produit monastérien à saveur douce, est fabriqué en Champagne.

La Haute-Marne a une spécialité : il s'agit du **LANGRES**, qui bénéficie d'une A.O.C.

Ce fromage, fabriqué à partir de lait de vache, appartient à la famille des pâtes molles à croûte lavée. Au bout de trois à quatre mois d'affinage, la couleur extérieure devient brun rouge. La forme de ce fromage d'environ 300 g est originale : une dépression est visible à son sommet . Quand il est souple sous le doigt, la texture de la pâte est crémeuse et la couleur jaune paille : c'est alors le moment de déguster ce fromage à la saveur relevée.

Les fabrications fermières sont rares. De plus en plus, le Langres est produit par de petites laiteries.

Le **Chaumont** est une variété de Langres mais de taille moindre. Il est affiné deux mois en cave humide. Sa saveur est relevée. La fabrication est uniquement artisanale.

La Meuse fabrique une espèce de Géromé (cf infra) de forme carrée appelé **SAINT-RÉMY.** Elaboré à partir de lait de vache, ce fromage à croûte lavée est affiné en cave humide pendant six semaines. Sa saveur est relevée.

LE VOID est également un fromage de la région. Il ressemble en goût au Maroilles. Il s'agit d'une pâte molle à croûte lavée fabriquée à partir de lait de vache. De forme rectangulaire, il présente une croûte d'un brun clair. La saveur du Void est relevée. Sa fabrication est artisanale.

LE CARRÉ DE L'EST est fabriqué en Moselle à partir de lait de vache pasteurisé. Ce fromage à pâte molle et à croûte fleurie est affiné pendant trois semaines. De fabrication industrielle, il se présente dans une boîte. Il est de forme carrée. Sa saveur est neutre.

La Moselle compte aussi des fabrications artisanales typiques.

LE BROCQ ou **BROCKEL** ou **BROCA** ou **BRACQ** dans la région de Thionville est un fromage blanc.

On ajoute au lait caillé du lait frais et du pain. Le tout macère pendant une heure. Cette préparation se mange au petit déjeuner.

La tradition lorraine en matière de fromages propose toutes une série de préparations en pots.

LE FROMAGE EN POTS est fait avec du lait de vache. Le caillé frais, mis dans un pot, est ensuite bouché. Il devra reposer dans un endroit frais pendant six semaines.

Quand on ouvre la merveille, il faut enlever la moisissure, malaxer la préparation à la cuillère avant de la déguster.

LE FREMGEYE est lui aussi fabriqué à partir du lait de vache. Le fromage blanc salé et poivré est mis à fermenter dans des pots en grès. Le Fremgeye se mange avec du pain de campagne. L'on peut raffiner en rajoutant sur la tartine une échalote grise finement hachée.

LE FROMAGE CUIT est lui-aussi un fromage lorrain fabriqué artisanalement. Le fromage blanc est cuit puis égoutté dans un linge. Après deux à trois semaines de fermentation en pot de grès, il est recuit avec du beurre et du jaune d'oeuf.

LE GUEYIN enfin se présente sous la forme d'une pâte molle et vaguement jaune. Le fromage blanc a séché pendant plusieurs semaines, on l'appelle alors "trang'nat". Mis en pot de grès et recouvert d'un linge, il a macéré suffisamment pour donner au Gueyin une saveur très forte.

Munster et **géromé** sont les rois des fromages d'**Alsace.**

LE GÉROMÉ est un fromage au lait de vache, parfois au lait pasteurisé. De forme carrée, il se présente dans des boîtes en sapin. Il est fabriqué dans les Vosges et son nom tire son origine de la déformation de Gérardmer, ville des Vosges.

Ce fromage s'apparente bien sûr au Munster. Il est souple sous le doigt, fortement odorant et d'une saveur relevée à très relevée. Après un affinage de deux à trois mois, la croûte du Géromé devient rougeâtre et lisse.

LE MUNSTER est de loin le fromage le plus célèbre de la région. Il a bien sûr obtenu le label A.O.C. Le mot proviendrait de la déformation de "monastère". La tradition fait remonter la naissance du fromage au VIIème siècle avant J.C, dans un monastère vosgien dévoué à Saint Grégoire. Afin d'accroître la production, les moines, auraient eu l'idée de mettre à profit les *chaumes*, c'est à dire les flancs dégarnis des montagnes. Peu à peu les herbages auraient gagné en qualité. Le mot *chaumes* est aujourd'hui synonyme d'herbe grasse et odorante.

De l'été à l'automne, le lait de *transhumance* sert à fabriquer le **Munster fermier**. Le lait doit être très frais. Une fois brisé, le caillé est moulé dans des formes en bois circulaires et percées. L'égouttage dure quatre jours pendant lesquels des retournements quotidiens sont pratiqués. La salage, progressif, fait augmenter le volume du fromage. Démoulé un jour plus tard, le Munster est séché et lavé à la saumure. Ces lavages sont quotidiens pendant une semaine au moins. Disposés sur des étagères dans une cave, les fromages sont alors scrupuleusement retournés. Progressivement, la croûte du Munster devient rougeâtre.

Trois semaines plus tard, la vente peut commencer. Le Munster fermier ne se déguste donc qu'en été et en automne. Sa forme est cylindrique, le diamètre est de 20 cm environ.

Le **Munster laitier**, fabriqué avec du lait pasteurisé, se trouve toute l'année.

Le **Gérardmer** peut être aromatisé **aux graines de carvi**, le **Munster** au **cumin**.

Autre fromage alsacien fermier : le **BIBBELSKÄSE**. Il s'agit de fromage blanc battu. L'on ajoute du sel, de l'oignon, du raifort, de la ciboulette, du cumin. Cette préparation macère pendant deux jours.

Le Bibbelskäse se consomme très frais.

Terminons avec la production industrielle : le **LORRAINE** est une espèce de géromé de 6 kg; le **CAPRICE DES DIEUX** et le **GÉRAMONT** sont des pâtes molles à croûte fleurie, leur saveur est très neutre.

d) Fromages de Franche-Comté.

Commençons par les grands noms fabriqués au **lait de vache**. Parmi eux bien sûr, **LE COMTÉ.**

Le lait utilisé est cru. Le caillé, préalablement emprésuré, est tranché avec des fils de laiton, puis brassé et cuit à environ 55°C. L'égouttage se poursuit avec la mise en moule. Le pressage progressif va modifier la texture de la pâte. Lors du démoulage, le fromage est immergé dans de la saumure puis placé en cave humide, lavé et ″morgé″ à l'eau salée. L'affinage peut durer de trois à huit mois, en cave ne dépassant pas 19°C : la croûte devient alors d'un brun uni.

FROMAGES DE FRANCHE-COMTÉ.

Le bon Comté a peu d'odeur, peu d'yeux. Sa saveur est très fruitée, jamais piquante. La meilleure provenance reste le Haut-Doubs et le Haut-Jura. Les herbages d'altitude donnent au lait des saveurs odorantes et les foins utilisés proviennent des herbes séchées des montagnes. Le Comté se présente sous la forme d'une *meule* de 70 cm de diamètre et de 12 cm de hauteur. La fabrication se fait généralement en *fruitières*, coopératives d'éleveurs montagnards

Dans *les Misérables* de Victor Hugo (livre 2, ch 4), les fruitières de Pontarlier sont décrites en ces termes : *"(...) on en distinguait deux sortes : -les "grosses granges", qui sont aux riches et où il y a quarante ou cinquante vaches, lesquelles produisent sept à huit milliers de fromages par été; les "fruitières d'association", qui sont aux pauvres; ce sont les paysans de la moyenne montagne qui mettent leurs vaches en commun et partagent les produits. Ils prennent à leur gage un fromager qu'ils appellent le "grurin"; le grurin reçoit le lait des associés trois fois par jour et marque les quantités sur une taille double; c'est vers la fin avril que le travail des fromageries commence; c'est vers la mi-juin que les fromagers conduisent leurs vaches dans la montagne."*

Ce fromage bénéficie, et c'est justice, d'une A.O.C. Il fut le second à la recevoir, après le Roquefort. 31500 tonnes de Comté furent produites en 1991.

Le meilleur Comté est reconnaissable à la bande verte imprimée sur sa croûte.

La Franche-Comté produit un autre gruyère, **L'EMMENTAL.** Ce fromage est aussi une tradition savoyarde. Nous renvoyons donc à cette région pour plus de précisions.

LE VACHERIN MONT-D'OR est un fromage au lait de vache appartenant à la famille des pâtes molles à croûte lavée. Le meilleur est fabriqué à partir de lait cru provenant des montagnes du Haut-Doubs. Ce lait est celui des vaches de race montbéliarde ou pie rouge, animaux qui descendent rarement, en saison, en-dessous de 700 mètres d'altitude.

Le Vacherin appartient à la famille des produits A.O.C. Après empresurage, le caillé est égoutté, brassé, moulé et retourné. L'affinage se fait en cave humide, sur des planches d'épicéa, avec retournage tous les deux jours. Les Vacherins sont frottés à l'eau salée pour développer une "morge".

Ce fromage, absolument délicieux, et qui ravit la plupart des gens, se présente dans une boîte en bois, d'environ 20 cm de diamètre.

Une croûte rosée et légèrement bosselée dissimule une pâte onctueuse et liquide à la saveur douce, parfumée et balsamique.

Il vaut mieux le servir avec une cuillère et ne pas manger sa peau. Le Vacherin peut aussi s'acheter à la coupe : le fromage a alors plus de 30 cm de diamètre.

Pour conclure, avouons que le Vacherin est cher et qu'il se conserve très peu. Plutôt que de multiplier les fromages sur un plateau, il peut donc régaler une table à lui seul. En général, il ne s'en prive pas.

En dix ans, ce fromage a doublé sa production et sa diffusion annuelle est d'un millier de tonnes environ.

LE MORBIER est un fromage excellent au lait cru de montagne. Il se fabrique dans la région de Morez. On l'apprécie surtout au printemps, après un affinage de deux à trois mois. Il présente une croûte naturelle dont la couleur oscille entre le gris et le roux clair. La pâte est assez tendre sous le doigt, sa couleur crème contraste avec la raie verdâtre qui partage le fromage horizontalement.

Le "vrai" Morbier se reconnaît quand ce trait n'est pas régulier, la ligne de couleur doit se répandre sur quelques millimètres de hauteur.

Ce fromage vendu à la coupe chez les crémiers se présente sous la forme d'une meule de 7 à 8 kg.

Lors de l'affinage et après le pressage, le Morbier fermier est régulièrement *"morgé"*, ce qui lui donne du goût.   Le Morbier industriel a une saveur plus neutre, il n'est pas "morgé" et son affinage est moins long. Près de trois tonnes de Morbier sont actuellement diffusées dans le pays.

LE BLEU DE GEX bénéficie d'une A.O.C. Ce fromage appartient à la famille des pâtes persillées. Seul le lait cru de montagne est utilisé : la saison de dégustation s'étend donc de mai à octobre.

Moulé dans une forme de 36 cm de diamètre, ce fromage de 7,5 kg est affiné pendant deux à trois semaines. "Gex" est imprimé en creux à la surface.

La pâte est marbrée de moisissures d'un bleu vert bien réparti. La fabrication est fermière ou provient de petites laiteries. Le goût est savoureux, moins prononcé que certains autres "bleus".

LE BLEU DE SEPTMONCEL est un fromage au lait de vache et à pâte persillée. Il s'apparente au bleu de Gex.

Affiné à sec pendant deux ou trois mois, il se présente sous la forme d'un disque de 6 kg et de 30 cm de diamètre.

Sa saveur est plus marquée que celle du bleu de Gex. Ce fromage au lait cru est encore fabriqué à la ferme. Des petites laiteries perpétuent la tradition.

LA CANCOILLOTE est une célébrité du pays. Une fois le caillé du Comté ou de l'Emmental pressé, le petit lait est recuit : le produit obtenu s'appelle le "metton". Il s'agit d'une pâte blanchâtre et granuleuse. On l'affine à sec puis on la chauffe au bain marie avec de l'eau salée. Le tout est ensuite malaxé, l'on ajoute du beurre : la Cancoillote est alors terminée.

Elle se mange nature sur du pain de campagne ou aromatisée à l'ail. La fabrication fermière est aujourd'hui concurrencée par l'industrielle. Ce fromage se présente sous la forme de grains durs et odorants. Il a une saveur est très fruitée.

La Franche-Comté produit aussi des **fromages de chèvres.** Pour l'essentiel, il s'agit de productions artisanales, à consommer dans la région, de l'été à l'automne.

LE PETIT BRESSAN ou **BRESSAN, LA TOMME DE BELLEY** et **LE RAMEQUIN DE LAGNIEU** sont surtout fabriqués dans l'Ain. L'on renvoie donc, pour ce qui les concerne, à la région **Rhône-Alpes**.

LE CHEVRET a la forme d'un petit disque plat de 3 cm d'épaisseur. Il présente une croûte bleutée. L'affinage en cave ventilée dure de quatre à cinq semaines. Sa saveur est noisetée.

Ce fromage est surtout fabriqué dans le Jura.

Dans les fabrications industrielles, citons:

-**LE MAMIROLLE**, vache pasteurisé à saveur soutenue produit dans le Doubs.

-**LE SAINGORLON**, copie française du gorgonzola.

e) Fromages de Bourgogne.

Commençons par les **fromages au lait de vache** et par le plus connu d'entre eux : **L'ÉPOISSES.**

Ce fromage délicieux se présente souvent dans le commerce sous papier cellophane, dans une boîte en bois. Il arrive fréquemment qu'il soit entouré d'une feuille de vigne. Il dégage une odeur très forte. La peau doit absolument être enlevée. Il coule

FROMAGES DE BOURGOGNE.

facilement, sa saveur est fruitée, extrèmement délicate, sans être forte.

La fabrication fermière tend à disparaître, en revanche la production en petites laiteries est en plein essor. Il faut dire qu'elle est généralement de grande qualité.

L'Epoisses se présente sous la forme d'un cylindre de 300 g, couleur jaune ocre.

L'affinage se fait en cave sur paille de seigle pendant deux ou trois mois. Le premier mois, des lavages quotidiens à l'eau salée et au marc de Bourgogne sont prodigués. L'Epoisses, peu à peu, fabrique une saveur subtile.

Une A.O.C récompense heureusement ce grand fromage de France.   Comme le Maroilles, l'Epoisses connaît des variantes :

LES LAUMES se présente sous la forme d'un gros pavé carré. Il peut se manger frais. Affiné à la manière de l'Epoisses pendant trois mois, il a cependant une saveur fumée bien plus relevée.

Parfois, le fromage des Laumes est lavé au marc et au café.

LA PIERRE-QUI-VIRE est fabriqué en Côte-d'Or dans une abbaye du même nom. Ce gros pavé de 1 kg est affiné pendant deux mois. Il présente une saveur peu relevée.

Il existe une autre spécialité dans cette abbaye :

LA BOULETTE DE LA PIERRE-QUI-VIRE. Il s'agit d'un fromage frais aromatisé aux fines herbes.

LE SAINT-FLORENTIN était surtout produit dans les fermes de l'Auxerrois. Aujourd'hui, il est fabriqué dans de petites coopératives, avec du lait pasteurisé. Sa saveur est relevée.

LE SOUMAINTRAIN, excellent avec un Bourgogne rouge, a lui-aussi une saveur prononcée. Affiné durant six semaines, lavé à l'eau salée, sa croûte prend peu à peu des teintes rougeâtres. Ce fromage peut aussi se manger frais.

LE CENDRÉ D'AISY est affiné à peu près comme l'Epoisses. Il est fabriqué dans la région de Montbard et ses environs. Il tient son nom d'Aisy-sous-Tille, en Côte-d'Or. Il se présente sous la forme d'un disque épais.

L'affinage dure deux mois; la croûte est lavée au marc de

Bourgogne. Le fromage d'Aisy est ensuite conservé dans de la cendre de sarments. Sa croûte a la couleur de la cendre. Ce fromage a une saveur fruitée.

La **Bourgogne** et le pays du vin, des châteaux et des abbayes. La tradition monastique reste vivace en matière de fromages.

LE TRAPPISTE DE CÎTEAUX est fabriqué en

Côte-d'Or par des religieux. Ce fromage artisanal à saveur fruitée vaut le détour. Il s'agit d'une pâte pressée non cuite. Au bout de deux mois, cette boule de 1 kg offre à l'oeil une croûte jaune.

Signalons un vache pasteurisé produit dans l'Yonne :

LE DUCS DE BOURGOGNE.
Ce fromage de forme cylindrique appartient à la famille des pâtes molles à croûte fleurie. L'affinage dure deux semaines. La saveur finale est peu affirmée.

La **Bourgogne** offre aussi une palette intéressante de **fromages de chèvres**.

LE VERMENTON est affiné pendant deux semaines,
sa peau devient alors bleutée. Il a la forme d'un petit cône. La saveur de ce fromage fermier est peu relevée.

LE CHAROLAIS est affiné pendant trois semaines.
Fabriqué dans les environs de Charolles, il se présente sous une forme cylindrique de 8 cm d'épaisseur. Sa croûte est d'un bleu pâle. Mangé plutôt sec, il a une saveur noisetée. Le meilleur Charollais est au lait de chèvre; il peut arriver pourtant qu'il soit fabriqué à partir de lait de vache ou d'un mélange chèvre et vache.

LE MONTRACHET se mange rapidement : égoutté
une semaine durant, il a un goût doux et crémeux. Sur les marchés, on le trouve à nu sur des feuilles de châtaigniers ou de vignes.

LES CHÈVRETONS DE MÂCON ou
MÂCONNAIS ou **BOUTONS DE CULOTTE** sont fabriqués à partir de lait de vache ou de chèvre. La Saône-et-Loire produit l'essentiel de ce fromage.
Affiné à sec pendant deux semaines, le Bouton de culotte a

la forme d'un petit cône tronqué de 4 cm de hauteur. Sa peau est jaunâtre et son goût légèrement noiseté. Il se déguste facilement à l'apéritif.

LES LORMES est un fromage au lait de chèvre qui a pris le nom d'une localité de la Nièvre. Affiné à sec pendant trois à quatre semaines, il a la forme d'un tronc de cône de 5 cm de hauteur. Sa croûte est naturellement bleutée et sa saveur assez prononcée.

LE POURLY est affiné un mois à sec en cave ventilée. Il est produit à Essert dans l'Yonne, en laiterie artisanale. Ce chèvre naturellement bleuté doit être mangé légèrement crémeux. Sa saveur noisetée est très appréciée.

LE CLAQUEBITOU est un fromage frais au lait de chèvre. Il se mange agrémenté de fines herbes ciselées et d'ail. Il s'apparente aux préparations lyonnaises du type Cervelle-de-Canut.

Dans les fromages industriels, signalons le **SUPRÊME DES DUCS,** fade et crémeux.

f) Fromages de la région Rhône-Alpes.

L'on adoptera ici un classement départemental : les **fromages de l'Ain** d'abord, puis les **traditions lyonnaises, l'Ardèche et la Drôm**e.
Les produits de la **montagne (Savoie et Haute-Savoie)** clôtureront le périple.

L'Ain est surtout réputé pour sa production de **fromages de chèvres.**

LE PETIT BRESSAN ou **BRESSAN** est parfois fabriqué à partir de lait de chèvre et vache mélangés. Il est néanmoins plus fruité quand il est pur chèvre.
Affiné pendant trois semaines en cave ventilée, ce fromage fermier en forme de cône présente une croûte naturelle blanchâtre.

LE RAMEQUIN DE LAGNIEU est peu commercialisé. Il s'agit d'une production artisanale.
Malgré un affinage de trois semaines en cave humide, sa croûte reste claire. Ce fromage a la forme d'un tronc de cône. Sa saveur est légèrement noisetée.

FROMAGES DE LA RÉGION RHÔNE-ALPES.

LA TOMME DE BELLEY est une pâte molle à croûte naturelle. Elle a la forme d'un disque plat ou d'une brique de 150 g. Après trois semaines d'affinage, ce fromage fermier prend une couleur bleutée. Sa saveur est noisetée.

Fabrication industrielle connue : le **BLEU DE BRESSE**.

Ce fromage, de la famille des pâtes persillées est élaboré à partir de lait de vache pasteurisé. De petit diamètre, il a une sapidité moyenne.

Parmi les **traditions lyonnaises** en matière de fromage :

LA RIGOTTE DE CONDRIEU. C'est un petit fromage cylindrique de 4 cm de diamètre. Affiné pendant deux semaines en hâloir ventilé, il a une saveur peu développée. La principale fabrication provient des petites laiteries. Ce fromage au lait de vache est facilement reconnaissable à la couleur rouge orangée de sa peau.

LE MONT-D'OR DU LYONNAIS est un cylindre d'environ 10 cm de diamètre. Sa croûte est orangée, parsemée de veinures blanches. Ce fromage a une saveur douce et fruitée.

Les **arômes lyonnais** sont des spécialités de la région. Leur saveur est très piquante.

L'ARÔME AU GÈNE DE MARC est le résultat de la récupération de plusieurs fromages. Rigotte, Saint-Marcellin, Pélardon et Picodon entrent dans sa composition. L'affinage se fait dans le gène de marc de raisins.

L'ARÔME DE LYON reprend le même système mais l'affinage est fait en pots, dans du vin blanc. Les arômes de Lyon sont pliés dans des feuilles de vignes ou de châtaigniers.

LE FROMAGE FORT est aussi très connu. Dans un pot en grès, l'on rape des Boutons de culotte que l'on mouille avec du bouillon de poireaux tiède. Poivre, thym, laurier, beurre, estragon et marc de Bourgogne sont ajoutés. Après trois à quatre semaines de macération, le tout est malaxé. Les aromates sont enlevés avant de servir. Ce fromage a bien mérité son nom.

LA CERVELLE DE CANUT ou **CLAQUERET LYONNAIS** : il s'agit d'un mets servi frais en hors d'oeuvre.

Elaboré avec du fromage blanc salé, poivré et agrémenté de ciboulette, de persil, d'ail et d'échalotes, cette préparation ne fermente pas plus de deux jours. Sa saveur est relevée. Le vin blanc, le vinaigre et l'huile d'olive fluidifient la pâte. Attention, les aromates doivent être bien dosés pour ne pas tuer le goût du fromage.

LE CHAMBARAND est un fromage au lait de vache et à pâte légèrement pressée. L'affinage dure trois semaines en cave fraîche. Il appartient à la catégorie des *trappistes* et a son origine dans les environs de Roybon. Il a une saveur douce. Ce fromage de l'Isère est de fabrication artisanale. Le Chambarand a la forme d'un disque de 160 g environ, il appartient à la famille des pâtes molles pressées non cuites à croûte lavée.

LE SAINT-MARCELLIN est un fromage de **l'Isère.** Fabriqué au lait de vache, il est rarement fermier. Des laiteries industrielles se chargent de le fabriquer.

Deux affinages sont possibles.

Le Saint-Marcellin peut être affiné à sec, il se recouvre alors d'une croûte bleu gris.

L'on peut aussi le protéger de la ventilation en créant un excédent d'humidité : le fromage revêt une peau jaune orangée, sa pâte est plus crémeuse.

J'avoue personnellement le préférer ainsi.

LE SAINT-FÉLICIEN est un fromage au lait cru, moulé à la louche. La forme reste cylindrique mais le diamètre est plus important que celui du Saint-Marcellin.

Ce fromage de l'Isère, essentiellement de fabrication fermière, provient également de petites laiteries.

LA TOMME DE ROMANS est un fromage doux au lait de vache, fabriqué aujourd'hui à échelle industrielle.

LE BLEU DE SASSENAGE s'apparente au bleu de Gex. Fabriqué au lait de vache dans les environs du Vercors, il appartient à la famille des pâtes persillées. La fabrication en petite laiterie de ce fromage n'est pas récente. L'affinage se fait pendant trois mois en cave humide.

L'**Isère** produit aussi des **fromages au lait de chèvre**.

LA TOMME DE CORPS est une pâte molle, légèrement pressée. Affiné en cave sèche pendant trois à quatre semaines, ce fromage de 500 g en forme de cylindre de 10 cm de diamètre, a une saveur noisetée. Sa croûte devient bleuâtre après un séjour en cave ventilée.

LA TOMME DU VERCORS a une saveur plus douce. Ce disque rond pèse environ 100 g. Après affinage à sec, la peau devient bleutée.

L'Ardèche est à l'honneur avec : **LE FOUDJOU**. Il s'agit d'un fromage fort constitué de tommes de chèvres au goût piquant. Sel, poivre, ail et eau-de-vie donnent du corps à la chose! Le Foudjou se mange avec des pommes de terre.

LE ROGERET DES CÉVENNES est un fromage de chèvre. Après un affinage de quatre semaines en cave humide, ce petit palais de 7 cm d'épaisseur devient d'une couleur naturelle bleutée. Il a une saveur très prononcée. La fabrication est uniquement fermière.

LES PICODONS DE LA DRÔME bénéficient d'une A.O.C.
Ces fromages au lait de chèvre se présentent sous la forme de palets ronds de 8 cm de diamètre. Ils sont affinés à sec ou lavés au vin blanc. Leur saveur est très recherchée. Les Picodons sont parfois cendrés.

LE PICODON DE SAINT-AGRÈVE a une saveur noisetée très prononcée. Après trois semaines d'affinage à sec, sa croûte devient bleuâtre.

LA TOMME DE CREST est une pâte molle à croûte naturelle. De forme ronde, ce fromage pèse 100 g environ.
Affiné, sa peau est couleur bleuâtre. Ce fromage au lait de chèvre et de fabrication fermière a une saveur noisetée.

LA TOMME DE LIVRON, ville de la Drôme encore, est sensiblement identique à celle de Crest.

LA TOMME DE COMBOVIN se présente sous la

forme d'un disque plat de 250 g. L'affinage dure quatre semaines, il se fait à sec. La saveur noisetée de ce fromage de chèvre fermier est très recherchée.

LA PÉTAFINE s'obtient en faisant macérer des fromages de chèvre secs et tendres avec du lait chaud, de la crème et de l'eau de vie.

LE BANON, fromage au lait de chèvre, de vache ou de brebis, est fabriqué dans la Drôme mais il est surtout célèbre dans le **Vaucluse**. Nous renvoyons à la région Alpes-Côte d'Azur pour plus de précisions.

Pays de montagnes, **la Savoie et la Haute-Savoie** fabriquent pour notre plus grand plaisir des **fromages** d'excellente qualité.

Commençons par les grandes célébrités au **lait de vache.**

LE BEAUFORT est un merveilleux fromage.

Fabriqué à partir de lait cru et entier de montagne, il se reconnaît à la forme creusée de ses flancs. Pour une meule de Beaufort, il faut environ 400 kg de lait.

Lors du pressage, la meule de Beaufort enveloppée d'une toile de lin, est moulée dans des cercles concaves en bois de hêtre qui évitent les malformations et les fermentations trop importantes de la pâte. Le Beaufort ne doit pas comporter "d'yeux".

Afin de bénéficier des herbages odorants des montagnes de Beaufort, ce fromage nécessite une organisation de type coopérative.

Les fermiers des vallées confient leurs troupeaux à des saisonniers qui s'occupent de la traite, le matin et le soir. La fabrication du Beaufort repose ainsi sur le système des *"fruitières"* A la fin de l'été par exemple, les fromages fabriqués dans la montagne descendent dans la vallée pour parfaire leur affinage. Ils séjournent sept mois en cave à température contrôlée. Les meules sont retournées chaque jour.

Une meule de Beaufort pèse de 40 à 60 kg. Ce fromage qui bénéficie d'une A.O.C depuis 1968 est pourtant contrôlé ultérieurement par un organisme régional. Une note sur 20 est proposée. La mention "bien" est requise : 14 minimum.

La saveur de Beaufort est très fruitée. Ce fromage est un régal.

Fabriqué naguère dans les montagnes du Beaufort, **LE BRISÉGO** est aujourd'hui très rare. Affiné en cave humide pendant six mois, ce fromage à pâte cuite de 5 kg a une saveur prononcée voire piquante.

L'EMMENTAL est fabriqué un peu partout en France. C'est pourtant un fromage de montagnes. Le Haut-Jura et la Haute-Savoie sont ses régions originelles.

Acheté en supermarché, l'Emmental est de fabrication industrielle, son goût est neutre.

L'authentique Emmental se trouve en crémerie, il est fruité.

Le lait de deux traites est mélangé. Après l'emprésurage, le caillé est découpé, brassé et cuit. On le recueille dans une toile : c'est l'égouttage. Mis en moule dans sa toile, la meule d'Emmental est pressée, retournée. Au bout d'un jour, elle est démoulée et salée dans un bain de saumure. L'affinage en cave, qui peut durer cinq mois, commence alors. En cave froide d'abord, puis en cave chaude : l'écart de température permet aux "yeux" de se développer.

LE REBLOCHON Sa fabrication remonte au XIIIème siècle. A cette époque, des précepteurs avaient la charge de prélever un impôt proportionnel à la quantité de lait produite par jour. Dès que le représentant de l'ordre était parti, la traite reprenait avec plus de fièvre dans les environs de Thônes. Ainsi naquit le mot "re-blocher" et avec lui le Reblochon, fromage de contrebande.

Le Reblochon fermier est fabriqué dans les vallées de La Cluzaz, Manigod et Grand-Bornand avec du lait de vache cru. Il est reconnaissable à l'étiquette verte en caséine apposée lors de la mise en moule.

Le Reblochon pourvu d'étiquettes rouges ou noires provient généralement des fruitières de Haute-Savoie.

Ce fromage bénéficie d'une A.O.C.

Une fois découpé et brassé, le caillé est laissé à reposer. Il est ensuite moulé et déposé sur un disque en bois surmonté d'un poids : le Reblochon est ainsi compressé. Le fromage sera ensuite salé, retourné. L'affinage dure trois semaines dans des caves dont la température n'excède pas 16°C. La meilleure saison pour déguster ce fromage va de juin à octobre.

La croûte du Reblochon est jaune orangé. Une fine pellicule blanchâtre recouvre parfois ce fromage cylindrique au goût crémeux et fruité.

Parmi les variantes du reblochon, citons :

-LE PETIT REBLOCHON
-LE DEMI-REBLOCHON
-LE REBLOCHONNET le plus souvent fabriqué avec un lait pasteurisé

-LE COLOMBIÈRE, Reblochon plus épais et au diamètre plus imposant (16 cm). L'affinage dure huit semaines en cave humide. Ce fromage de fabrication fermière, cantonné à la vallée de la Colombière, a une saveur douce.

LE TRAPPISTE DE TAMIÉ pèse environ 1,2 kg. Il est de fabrication artisanale. Il rappelle le Saint-Paulin et développe un saveur lactique développée. Il est affiné deux mois en cave humide.

LE BEAUMONT a été créé par M.Girod dans le petit village de Saint-Julien-en-Genevois. Il entre dans la catégorie des *trappistes* industriels. Il s'agit d'une pâte pressée et lavée non cuite. L'affinage dure un mois et demi, la croûte est jaune clair. Ce fromage a une forme carrée. Il pèse environ 1,5 kg, sa saveur est douce.

LE TOUPIN provient de la vallée d'Abondance. C'est un type de gruyère à saveur fruitée. Affiné de quatre à huit mois en cave humide, il entre dans la famille des pâtes pressées cuites.

Abondance donne aussi son nom à un Vacherin. La production, exclusivement fermière, rend ce fromage très rare.

LE VACHERIN D'ABONDANCE, comme celui **DES AILLONS** ET **DES BAUGES** est un fromage à pâtes molle et à croûte lavée. L'affinage se fait pendant trois mois en cave froide. Le principe de fabrication est le même que pour le Mont-d'Or. La saveur de ces fromages est douce et crémeuse.

La Savoie est aussi le pays des **tommes.**

LA TOMME D'ABONDANCE bénéficie d'une A.O.C. Ce fromage au lait de vache en partie écrémé est fabriqué dans la vallée d'Abondance en Savoie. Il s'agit d'une pâte pressée non cuite à croûte naturelle.

L'affinage, entrecoupé de brossages, dure de deux à trois mois. La croûte grisâtre ne se mange surtout pas. La saveur douce et fruitée de ce fromage est recherchée. Dans la mesure où le lait provient des troupeaux paissant en altitude, ce fromage se déguste en été et en automne.

Il se présente sous la forme d'une boule de 35 cm de diamètre. Ce fromage est le plus souvent fabriqué à la ferme et en *fruitières*.

LA TOMME DE SAVOIE est la plus connue parmi les tommes au lait de vache. Il s'agit d'un fromage à pâte pressée non cuite. L'affinage dure de un à deux mois minimum. Le croûte grise de ce fromage est parfois pigmentée de rouge. La pâte doit être souple sous le doigt.

Dans le commerce, ces tommes sont vendues à des degrés d'affinage divers. Renseignez-vous sur la provenance et la fabrication. **LA TOMME DE COURCHEVEL** par exemple n'est fabriquée qu'à la ferme.

Il arrive même que la tomme de Savoie soit fabriquée avec du lait allégé. C'est une tradition ancienne : quand les fermiers faisaient eux-mêmes leur beurre, ils utilisaient la "crème grasse" du lait. Avec le reste, des tommes allégées étaient fabriquées.

Le terme "tomme de Savoie" est générique. Les noms qui suivent sont plus précis :

-**TOMME DES BAUGES**
-**TOMME DES BELLEVILLE**
-**TOMME BOUDANE**
-**TOMME DE COURCHEVEL**

Curiosités peut-être intéressantes :

-**LA TOMME AU FENOUIL**
-**LA TOMME AU MARC,** macérée pendant cinq mois dans le marc de raisin.

Il existe aussi dans la région un **FONDU AU MARC,** gros disque de 2 kg au lait de vache. Il s'agit d'une pâte fondue recouverte de pépins de raisins. Ce fromage artisanal sert de casse-croûte.

Des fromages à **pâtes persillées** sont également fabriqués dans ces **régions de montagnes**. Il s'agit de productions fermières.

LE BLEU DE TIGNES a un goût sapide. Il est affiné en cave humide.

LE BLEU DE SAINTE-FOY se présente sous la

forme d'un cylindre plat. Il se déguste en été. Il a une saveur prononcée.

Citons encore LE **BLEU DE TERMIGNON**. Il a la forme d'un haut cylindre. Affiné en cave humide, il prend un goût puissant.

Parmi les **fromages au lait de chèvre fabriqués en Savoie et Haute-Savoie**, citons :

LES GRATARONS D'ARÊCHE, cylindres de 5 cm de hauteur, à croûte grisâtre. Ces fromages sont affinés à sec pendant un mois, leur saveur est très prononcée.

LA TOMME DES ALLUES pèse 4 kg. Affinée pendant deux mois, elle développe une saveur douce mais fruitée très agréable. La pâte doit être souple sous le doigt. La croûte est grise, pigmentée de jaune.

LA CHEVRETTE DES BAUGES est un disque épais de 1 kg. Ce fromage à pâte pressée non cuite est affiné pendant trois mois en cave humide. Il a une saveur noisetée.

LA CHEVRINE DE LENTA est une pâte pressée non cuite à saveur très noisetée. Ce fromage de fabrication fermière est affiné à sec pendant trois semaines en cave froide.

LE CHEVROTIN DES ARAVIS, fromage fermier, présente une croûte lavée semblable au Reblochon. Ce fromage en forme de cylindre a une saveur fruitée.

LES PERSILLÉ DES ARAVIS, DE THÔNES OU DU GRAND BORNAND sont des chèvres à moisissures internes. Ils ont la forme d'un cylindre de 15 cm de haut sur 10 cm de diamètre. Leur pâte ivoire est parsemée de moisissures. Ces fromages au goût sapide sont affinés à sec pendant deux mois. Leur croûte est d'un brun granuleux.

LE PERSILLÉ DU MONT-CENIS se présente sous la forme d'un cylindre de 8 kg. Sa pâte est veinée de bleu. Ce fromage a été pressé puis affiné pendant trois mois.

Il a une saveur sapide et même piquante.

LE PERSILLÉ DE HAUTE-TARENTAISE est encore une autre variété de chèvre à moisissures internes.

FROMAGES D'AUVERGNE.

g) Fromages d'Auvergne.

Commençons, une fois n'est pas coutume, par **les fromages de chèvre.**

LA BRIQUE DU FOREZ, comme son nom l'indique a une forme rectangulaire. Ce fromage, d'environ 15 cm de long, est affiné à sec en cave humide pendant trois semaines. Il revêt alors une croûte blanchâtre et compacte au fur et à mesure qu'il vieillit.

Personnellement, je préfère l'acheter quand le fromage est encore tendre sous le doigt. Il arrive assez souvent qu'un salage excessif nuise à sa saveur noisetée. Ce fromage se trouve par ailleurs très facilement dans les crémeries.

LA GALETTE DE LA CHAISE-DIEU se présente sous la forme d'une petite brique ou d'un cylindre de faible épaisseur. De fabrication exclusivement fermière, ce fromage doit être souple sous le doigt. Affiné à sec en cave humide pendant trois semaines, il a un goût agréablement noiseté. La ressemblance avec la Brique du Forez est évidente.

LES CHÈVRETONS D'AMBERT, DE VIVEROLS OU DU LIVRADOIS ressemblent également à la Brique du Forez.

Affinés à sec pendant trois semaines, ces fromages fermiers proviennent de la région d'Ambert. Il peut arriver que le lait de chèvre soit coupé avec du lait de vache : la saveur noisetée est alors moins prononcée.

LA RIGOTTE DE PÉLUSSIN est affinée pendant deux semaines à sec. Elle se présente sous la forme d'un cylindre ou d'un tronc de cône. Ferme sous le doigt, ce fromage a une saveur délicatement noisetée.

LE CHEVROTIN DU BOURBONNAIS est un nom générique pour désigner des fromages au lait de chèvre, essentiellement fabriqués dans l'Allier, entre Cosne et Souvigny. L'affinage de ces fromages au goût crémeux et fruité n'excède pas une semaine.

Le chevrotin du Bourbonnais peut être encore appelé :
-CHEVROTIN DE COSNE
-CHEVROTIN DE MOULINS
-CHEVROTIN DE SOUVIGNY

L'**Auvergne** est surtout connue pour ses **fromages au lait de vache**. Deux grandes familles se distinguent : les **pâtes pressées non cuites** et les **pâtes persillées**. Commençons par les premières.

Fromages d'Auvergne à pâtes pressées non cuites.

LE CANTAL est peut-être le plus célèbre d'entre eux. Il peut être fabriqué dans le département du Cantal, huit communes de l'Aveyron et 27 du Puy-de-Dôme.

Une *meule* de plus de 40 kg nécessite environ 400 litres de lait de vache. L'emprésurage se fait à chaud : le lait est tiédi mais jamais chauffé. Au bout d'une demi-heure, l'on brise le caillé. Après avoir enlevé le petit-lait, le fromage est pressé à la main. L'égouttage dure de deux à trois jours. Mis sous presse mécanique pendant un jour, la *fourme* de cantal est retournée. L'affinage, accompagné parfois de brossages, dure de deux à cinq mois.

Dans le commerce, l'on trouve donc du "jeune cantal" à la chair suave, tendre et parfumée mais aussi du "vieux cantal", plus fruité. L'A.O.C récompense ce fromage.

Le cantal fermier est fabriqué dans les *burons* des monts du Cantal, il supporte facilement un long affinage.

Le cantal laitier, qui se trouve toute l'année, est le plus souvent consommé jeune. Il existe aussi un intermédiaire appelé dans la région **"entre-deux"**.

LES PARABELS sont des fourmes de cantal faites avec du lait enrichi en matières grasses. Elles sont de fabrications exclusivement fermières.

LE CANTALON tire son nom d'un diminutif de Cantal. Ce haut cylindre de 4 à 10 kg est fabriqué dans les environs de Mauriac et Marmanhac. Il est affiné trois mois en cave humide.

LE SALERS a lui aussi une A.O.C.

C'est un fromage de montagne. Il se présente sous la forme cylindrique d'une *meule* de 40 kg. L'affinage dure plusieurs mois, il peut aller jusqu'à un an. Ce fromage deux fois pressé subit aussi des brossages; peu à peu la croûte devient épaisse et grise, par endroits elle se fissure.

Les plantes de hautes montagnes (gentiane, arnica, trèfle, aconit, trolle) donnent à ce fromage au lait cru une saveur fruitée très appréciée. Le production du Salers est en quantité moins importante que celle du Cantal.

LE LAGUIOLE ou LAGUIOLE-AUBRAC

appartient lui-aussi à la famille du Cantal. Il est fabriqué dans les montagnes de l'Aubrac : sa zone de production s'étend donc sur les départements de la Lozère, du Cantal et de l'Aveyron.

Fabriqué comme le Cantal et le Salers, il subit un affinage de quatre à six mois. Le Laguiole fermier, à déguster de juillet à avril, développe des saveurs très subtiles : mieux vaut le déguster quand il est "vieux".

Il est également protégé par une A.O.C.

L'ALIGOT se fabrique avec du Laguiole frais. Il s'agit d'une purée de pommes de terre agrémentée d'ail pilé et de lard fondu ou de jus de gigot.

Le Laguiole est incorporé en lamelles. Travaillé à feu doux, l'appareil doit "filer" si on l'étire vers le haut. L'Aligot se mange seul ou pour accompagner une viande.

LA FOURME DE ROCHEFORT est fabriquée dans le Puy-de-Dôme. Ce cylindre de 10 à 20 kg s'apparente aux fourmes de Cantal et de Laguiole. Son goût évolue selon le degré d'affinage : la saveur douce et lactique des jeunes fourmes contraste avec le goût prononcé des fourmes affinées au-delà de trois mois.

LE SAINT-NECTAIRE est protégé par une A.O.C. Il est fabriqué dans dix-huit communes du Nord du Cantal et plus de cinquante du Puy-de-Dôme.

Il se présente sous la forme d'un cylindre de 1,5 kg et de 20 cm de diamètre. Sa croûte, grise et épaisse (de 2 à 3 mm) est rousse par endroits, pigmentée çà et là de points rouges. La pâte, d'un jaune clair brillant, laisse apparaître parfois quelques yeux très discrets. Le Saint-Nectaire ne doit pas "couler" mais être à *coeur*, crémeux et onctueux.

Ce fromage savoureux, parfois encore fabriqué à la ferme, coagule en moins d'une heure. Le caillé, ainsi obtenu, est immédiatement brisé. Après l'égouttage, la tomme est moulée à la main, salée sur les deux faces et placée dans des formes. Pressé pendant un jour entier, le Saint-Nectaire frais est rangé dans des séchoirs. Il poursuit son affinage en cave humide n'excédant pas 12°C pendant deux mois. Il est alors fréquemment lavé à l'eau salée.

LE SAVARON est un disque de 6 cm d'épaisseur.

Fabriqué à base de lait de vache pasteurisé, ce fromage apparenté au Saint-Nectaire a une saveur peu prononcée, malgré trois mois d'affinage.

LE VACHARD est affiné deux mois dans la région des Monts-Dore. Son poids n'excède pas 1,5 kg. Il s'apparente au Saint-Nectaire. Sa croûte est brune, sans moisissures.

LE MUROL est un fromage à pâte pressée non cuite fabriqué au lait de vache pasteurisé. Sa croûte est rosée, légèrement orangée.

Le Murol a la forme d'un disque épais de 3,5 cm de hauteur percé d'un trou de 4 cm de diamètre. Affiné en six semaines, ce fromage a une saveur très douce. Il se fabrique bien entendu toute l'année.

LE GAPERON est un fromage à pâte pressée non cuite aromatisé à l'ail et au poivre. Il est fabriqué dans les plaines de la Limagne. Sa croûte est mince, d'un blanc gris légèrement granuleux. Ce fromage de 300 à 500 g se présente sous la forme d'une demi-spère. La pâte est blanche, souple sous le doigt. Sa saveur prononcée mais délicate s'accommode fort bien d'une salade verte.

Ce fromage est fait de lait de vache écrémé ou de *babeurre*. Dans le dialecte local, "gape" signifie babeurre, liquide maigre que laisse apparaître la crème barattée dans la fabrication du beurre. Affiné deux mois à sec et conservé dans du foin, ce fromage fera impression sur vos invités, s'ils aiment l'ail.

LE CHAMBÉRAT s'apparente aux *trappistes*. A l'oeil, ce fromage de l'Allier offre une croûte jaunâtre. La pâte a une saveur fruitée agréable. Ce fromage se présente sous la forme d'un disque plat de 13 cm de diamètre, il est affiné pendant deux mois en cave humide.

Fromages d'Auvergne à pâtes persillées.

LE BLEU D'AUVERGNE récompensé par une A.O.C, est aujourd'hui connu et distribué dans toute la France.

Après l'emprésurage, le caillé est mis à égoutter sur une toile. L'ensemencement de la moisissure se fait par couches, successivement. Le salage terminé, les fourmes sont percées d' aiguilles métalliques. La pâte persillée se développe mieux ainsi. Le séchage en cave aérée se poursuit pendant 20 à 30 jours, soit environ quatre semaines.

Le Bleu d'Auvergne se présente sous la forme d'un cylindre de 10 à 20 cm de diamètre sur 10 cm de haut. L'odeur de de fromage au lait de vache est forte et sa saveur un peu piquante.

Fabriqué en laiteries, il est quasiment disponible toute l'année.

Fermier, il est meilleur en été et en automne, du fait du lait de *transhumance*.

LE BLEU DE THIÉZAC est fabriqué comme le Bleu d'Auvergne mais sa production est exclusivement fermière. Le lait utilisé provient d'herbages de montagnes. Parmi les Bleus d'Auvergne fermiers à saveur sapide, citons :

-**LE BLEU DU VELAY**
-**LE BLEU DE LOUDES**
-**LE BLEU DE COSTAROS**
-**LA FOURME DU MÉZENC.**

LE BLEU DE LAQUEUILLE a été inventé en 1850 par Antoine Roussel. Celui-ci eut l'idée d'ensemencer des *fourmes* blanches avec des moisissures provenant de pain de seigle.

L'idée fit florès. Affiné trois mois en cave humide, le Bleu de Laqueuille était fait avec du lait de montagnes. La fabrication est aujourd'hui essentiellement industrielle.

Le bleu de Laqueuille est distribué dans tout le pays. Ce fromage a une saveur relevée.

LA FOURME D'AMBERT bénéficie d'une A.O.C. Pour l'essentiel, ce fromage est fabriqué en petites laiteries. Autrefois, les productions fermières se faisaient dans des cabanes en pierres au toit de chaume.

La fourme s'obtient grâce à un emprésurage rapide, immédiatement après la traite. Le caillé est brassé, pressé à la main avant d'être mis en moule. Pendant une semaine, le fromage, salé puis égoutté, est ensuite retourné. L'affinage dure trois mois, il s'effectue en cave ventilée. La pâte ivoire de la Fourme d'Ambert offre des moisissures régulièrement réparties. Ce fromage de 19 cm de haut est vendu à la coupe. Il a une saveur prononcée très agréable.

LA FOURME DE MONTBRISSON est fabriquée sur les plateaux du Haut-Forez. Ce cylindre de 1,5 kg ressemble à la Fourme d'Ambert mais sa pâte est un peu moins persillée.

Affiné pendant trois mois, ce fromage a une saveur prononcée sans être piquante.

LA FOURME DE PIERRE-SUR-HAUTE est un fromage fermier qui se déguste en été et en automne. Le lait utilisé provient des montagnes du Livradois.

LE SAINT-AGUR est un fromage de Haute-Loire au lait pasteurisé. Cette pâte persillée d'une saveur peu prononcée est affinée pendant deux mois.

Achevons ce tour d'Auvergne par un fromage de l'Allier au lait de vache mais à pâte molle :

LE PETIT BESSAY. Il a la forme d'un disque de 3 cm d'épaisseur. Affiné pendant quatre semaines en cave humide, son goût est délicatement fruité. Ce type de fromage se fabrique également en basse Bourgogne.

h) Fromages du Languedoc-Roussillon, de Corse et de Provence-Alpes-Côte d'Azur.

Le **Languedoc-Roussillon** mérite le détour pour ses **fromages de chèvre**, le plus souvent fermiers.

LES PÉLARDONS DES CÉVENNES sont fabriqués dans la région du Gévaudan et du Vivarais. Ce sont de petits palais ronds, de 7 cm de diamètre environ. Affinés pendant trois semaines à sec, leur peau, légèrement granulée, a une couleur paille. La saveur noisetée de ces petits chèvres est très recherchée.

Dans la région, l'on trouve aussi :

-LE PÉLARDON D'ANDUZE.
-LE PÉLARDON D'ALTIER

La fabrication de ces fromages fermiers et locaux est identique à celle du Pélardon des Cévennes. Le Pélardon doit se déguster quand il est encore tendre.

L'Aude produit aussi son pélardon, c'est **LE PÉLARDON LANGUEDOC-ROUSSILLON.**

Il mérite lui aussi qu'on le considère. Nombreux sont aujourd'hui les fermiers qui fabriquent ce petit fromage au lait de chèvre, entre Mazamet, Laprade, Saissac et Lastours.

Le service de distribution est correctement assuré si bien

que l'on trouve ce fromage un peu partout en France.

LES BOSSONS MACÉRÉS sont une spécialité de l'Hérault et du Bas-Vivarais. Il s'agit de petits fromages de chèvre affinés en cave, à sec, pendant un mois. Ils sont ensuite mis à macérer durant trois mois dans de l'huile d'olive, du vin blanc, du marc et divers autres aromates. Leur saveur forte s'accommode fort bien d'une salade verte, même vinaigrée.

La Provence est aussi le pays des **chèvres**. Quelques spécialités au lait de **brebis** méritent toutefois le détour.

L'ANNOT (ou la tomme d'Annot) a son origine dans le comté de Nice. Il s'agit d'un fromage fermier fabriqué à partir de lait de chèvre ou de brebis. Affiné deux mois en cave humide, il a une saveur douce. Cette tomme de montagne se présente sous la forme d'un épais cylindre de 1 kg.

LA TOMME DE SOSPEL est fabriquée également dans le comté de Nice. Comme la tomme de Valberg et de Valdeblore (cf infra), elle est faite au lait de brebis. L'affinage dure jusqu'à six mois. Ce fromage se présente sous la forme d'une grosse boule de 10 kg.

LA TOMME DU PELVOUX provient des Hautes-Alpes. Elle est fabriquée de la même façon que la tomme de Savoie. Le plus souvent, les laits de vaches et de chèvres sont mélangés.

LE PICODON DE VALRÉAS est fabriqué dans la Drôme mais aussi dans le Comtat Venaissin. Il s'agit d'un fromage au lait de chèvre quasiment frais puisqu'il n'a qu'une semaine d'affinage. Sa saveur noisetée est remarquable.

LE BANON est très connu. Ce fromage est fabriqué à partir de lait de chèvre, de brebis et même de vache. Il s'agit d'un petit disque de 7 cm de diamètre, plié dans des feuilles de châtaigniers entourées de raphia.

Le meilleur est sans doute celui qui est fait à partir de lait de brebis et qui provient des montagnes de Lure.

Affiné pendant deux mois au maximum, il a une saveur noisetée très caractéristique. La fabrication fermière est concurrencée par celle de petites laiteries.

FROMAGES DU LANGUEDOC-ROUSSILLON, DE CORSE ET DE PROVENCE-ALPES-CÔTE-D'AZUR.

Aromatisé à la sariette et affiné pendant un mois, le Banon s'appelle **LE POIVRE D'ÂNE** ou **LE PÈBRE D'AÏ.** Il se présente toujours plié dans des feuilles de châtaigniers.

LA CACHAT ou LA TOMME DE VENTOUX est un fromage frais au lait de brebis. La pâte fraîche est simplement salée. Sa saveur est douce et crémeuse.
LE FROMAGE FORT DU MONT VENTOUX est fabriqué avec de la tomme de Ventoux broyée, salée et poivrée. Comme l'indique son nom, ce fromage a une saveur relevée.

LA BROUSSE DE LA VÉSUBIE est également une pâte fraîche. Elle est fabriquée à partir de lait de vache, de chèvre ou de brebis. Elle doit être consommée rapidement.
"Brousser" signifie battre en provencal. La Brousse est donc un fromage frais que l'on a battu. Pour être au summum de leur saveur, les brousses doivent être très fraîches. Elles s'achètent sur les marchés de la vallée de la Vésubie et s'accommodent de sucre, de confiture.

LA BROUSSE DU ROVE se déguste au dessert avec du sucre et des fruits ou en entrée, avec des herbes odorantes, de la ciboulette ciselée notamment. On la trouve sur les marchés, entourée d'un linge humide.

LA TOMME DE CAMARGUE ou **L'ARLÉSIENNE** est une pâte fraîche égouttée au lait de brebis. Le plus souvent, elle est aromatisée au thym et au laurier. Elle se mange rapidement ou dix jours après l'égouttage.

LA TOMME DE VALBERG ou VALDEBLORE ressemble aux tommes de brebis des Pyrénées. L'affinage se fait à sec pendant six mois mais il peut également être prolongé. La pâte devient alors cassante et le goût plus prononcé.

La Corse est spécialisée dans les **fromages au lait de chèvre et de brebis.**

LE BRINDAMOUR est un gros pavé aux bords arrondis fabriqué à partir de lait de chèvre. La croûte est tapissée d'herbes du maquis : sariette, romarin, baies de genièvre. S'il arrive parfois frais sur le marché, ce fromage est meilleur après un à deux mois d'affinage.
La pâte, quelque peu élastique, est très savoureuse : elle

dégage des odeurs d'herbes. La fabrication est surtout artisanale. Grâce à un service de distribution efficace, ce fromage se trouve un peu partout dans le pays. Votre crémier acceptera sûrement de vous en vendre la moitié, car ce fromage est volumineux.

Les amateurs d'exotisme apprécieront ce mets aux saveurs odorantes.

LE NIOLO est un fromage à pâte molle et à croûte naturelle. Il se mange parfois frais, il est alors crémeux et doux. Affiné de trois à quatre mois, il développe un fort bouquet. La saveur est alors piquante. Ce fromage au lait de brebis est de fabrication artisanale.

LE VENACO se présente sous la forme d'une tomme. Il a la forme d'un carré à bords arrondis. Il est meilleur quand il est fabriqué à partir du lait de brebis : il s'agit souvent de lait de *transhumance*. La saveur de ce fromage affiné pendant quatre mois reste piquante.

LE FIUMORBU est un fromage de brebis à pâte ferme. Il se mange accompagné d'un filet d'huile d'olive. Son affinage n'excède pas deux mois.

LE BLEU CORSE est affiné pendant six mois. Il est fabriqué sur les hauts plateaux, au nord de l'île. Devenu rare, ce fromage au lait de brebis a un goût piquant.

LE BROCCIO est une tomme au lait de brebis fraîchement battue. Cette brousse du maquis a une saveur douce. Autrefois de fabrication fermière, ce fromage frais est aujourd'hui distribué à une échelle industrielle. Le lait utilisé est alors pasteurisé. Consommé frais et battu, le Broccio se mange accompagné de fruits sucrés, de miel, de sirop d'orgeat.

Après trois mois d'affinage, il prend le nom de **SARTENO.** Ce fromage fabriqué avec du lait de chèvre ou de brebis ou encore avec un mélange des deux est originaire de Sartène. Il se présente sous la forme d'une boule aplatie de 1,5 kg. Son goût est très piquant.

i) **Fromages d'Aquitaine et de Midi-Pyrénées.**

Nous commencerons ce périple par les **fromages de l'Aveyron , du Quercy et du Lot.**
Le **Tarn**, le **comté de Foix** et la **Haute-Garonne**

FROMAGES D'AQUITAINE ET DE MIDI-PYRÉNÉES.

CHARENTE

Sa

Gironde

Libourne

Bordeaux

Dordogne

Bassin d'Arcachon

Garonne

GIRONDE

• La Réole

Leyre

LANDES

Pays d'Albret

Midouze

• Mont-de-Marsan

Fromage

Adour

• Dax

des

Chaumes

Étorky

• Orthez

PYRÉNÉES-
ATLANTIQUES

• Bayonne

Gave d'Oloron

Gave de Pau

Saint-Albray

• Hendaye

Vallée de la Nive

P A Y S

Nive

Ossau-Iraty

• Pau

BASQUE

Mauléon-
• Licharre

• Tart

• St-Jean-Pied-de-Port

Oloron-Ste-Marie

• Estérençuby

Vallée d'Ossau

• Lourdes

Arnéguy

Brebis

Azun

Défilé de
Roncevaux

Ferrières

• Argelès-Gazo
• Aucun

Pyrénées

Arrens-Marsous
Arrens

ESPAGNE

Aspe

Ossau

HAU

PYRÉ

Gave

suivront, puis les **Pyrénées** et le Pays-Basque.
Nous terminerons par la **Guyenne-Gascogne.**

L'**Aveyron** est la région principale du **ROQUEFORT,** fromage au lait de brebis, connu dans toute la France. Aujourd'hui, 16000 tonnes de fromage sortent annuellement des caves de Roquefort, soit presque 6 millions de *pains* de Roquefort.

Comme la plupart des célébrités, le Roquefort a ses lettres de noblesse. La tradition veut par exemple que Charlemagne, empereur des Chrétiens, ait reçu pour Noël des pains de Roquefort dans son palais d'Aix-la-chapelle.

Une chose est sûre : les producteurs de Roquefort se protégèrent très tôt de la concurrence déloyale. Dès le XVème siècle en effet, un écrit signé de Charles VI accordait aux habitants de Roquefort l'exclusivité de l'affinage. La première A.O.C était née.

Le XVIIème siècle français, on l'a vu avec La Fontaine et Saint-Amand, fit l'éloge du fromage. Furetière rapporte certes un méchant proverbe, mais il s'empresse d'ajouter qu'il est italien :*"fromagio, peri e pan, pasto da vilan"* (*fromage, poire et pain, plat de vilain*).

En 162O, au temps de Saint-Amand justement, le Marquis de Vauvert déclarait au Roquefort :

"Paste de lait, masse caillée
Gasteau cresmé, morceau royal
Superbe mets et sans égal
D'une belle forme bien travaillée;
Belle figure du soleil
Goust ravissant et non pareil
Volume sorti de la presse
Fromage qui s'anéantit
Roquefort, que je te caresse
Meule, vient-en chez nous aiguiser l'appétit".

Le 31 août 1666 (le XVIIème siècle, encore!) un arrêt du Parlement de la ville de Toulouse entérinait les privilèges accordés par Charles VII, François Ier, Henri II, Louis XIII et Louis le Grand.

Voici, dans l'orthographe de l'époque, et avec quelques explications entre parenthèses, l'arrêt du Parlement :

"Vu la requestre présentée à la Cour par les consuls (magistrats municipaux) du lieu de Roquefort dans le bailliage (circonscription) de Milhau en Rouergue, tendant que (afin que)

Zone de production principale du Roquefort délimitée par des points sur la carte

Fromages de type "Roquefort"

pour les causes y contenues il plaize à la Cour fère (faire) très expressses inhibitions (interdictions) et deffences à tous marchands, voituriers (revendeurs ambulants) et autres personnes de quelle qualité et condition qu'elles puissent estre, qui prendront et achepteront du fromage dans les cabanes et lieux du voysinage du dict Roquefort, de les vendre, bailler (donner) ny débiter en gros ny en détail pour véritables fromaiges de Roquefort, à peine de mil livres, confiscation de son fromaige, et estre enquis contre eux (sous peine d'être accusés de) comme faux vendeurs et autres fins de la dicte requestre, la Cour a comis et comet (désigne) Maistre Antoine de Comore, conseiller en icelle pour parler aux parties et Procureur Général du Roy, et cependant (pendant ce temps) a fait inhibition et deffences à tous marchands, voyturiers et autres personnes de quelle condition et qualité qu'ils soient qui auront prins et achepté du fromaige dans les cabanes et lieux du voysinage en gros ny en détail pour véritable fromaige de Roquefort à peine de mil livres et d'en estre enquis."

Pas étonnant dès lors que le Roquefort bénéficie aujourd'hui d'une A.O.C le protégeant.

Il ressort des diverses lois en vigueur :

-que le Roquefort doit être fabriqué à partir de lait cru de brebis.

-que l'affinage, soumis aux traditions anciennes, est seulement autorisé dans une zone géographique précise.

-que l'appellatif "Roquefort" ne peut être en aucun cas utilisé pour la vente d'autres fromages.

Si le lait de brebis utilisé provient du célèbre "rayon" Aveyron, Tarn, Lozère, Gard et Hérault (cf carte) mais aussi des Pyrénées-Atlantiques et de la Corse, le Roquefort est bien sûr une fabrication exclusive de Roquefort-sur-Soulzon dans l'Aveyron.

La légende veut qu'un jour, un berger de Roquefort ait laissé dans la grotte de Cambalou, rocher qui domine le village, un morceau de pain et un bout de fromage de brebis. Pressé d'aller conter fleurette, le galapiat abandonna *"Messer Gaster"* (Rabelais, encore lui, désigne ainsi l'estomac) pour Cupidon. Quelques mois passèrent. Un jour qu'il menait paître son troupeau au même endroit, il trouva dans la grotte ventilée de Cambalou son fromage recouvert de fleurs vert bleu. La fin l'emportant sur la méfiance, il eut l'impression qu'un nouveau goût avait vu le jour. Le Roquefort était né, **"fils de la montagne et du vent"** comme l'a si bien dit Curnonsky, célèbre gastronome du Paris de l'entre-deux-guerres.

Versé dans des cuves, le lait est chauffé à environ 32°C. Des spores de pénicillium roqueforti (qui n'a rien à voir avec le pénicillium notatum dont est extrait la pénicilline, rassurez-vous!), champignon microscopique germant naturellement sur le pain de seigle, sont ensemencés.

Après emprésurage, le caillé est découpé, rompu en petits cubes, puis brassé. Après égouttage en salle à 18°C, le caillé mis en moule se transforme en *pain.* Le salage s'étend sur cinq jours.

L'affinage se fait obligatoirement à Roquefort. La roche qui entoure le village est semblable à une gigantesque éponge. Sur 2 km de long et 300 m de profondeur, les *fleurines* dispensent leurs secrets. Le mot vient de l'occitan "flourir" qui signifie "fleurir" et "commencer à moisir". Les *fleurines* sont des petits tunels, des failles dans le rocher de plusieurs centaines de mètres. L'eau s'écoule le long des parois aérées et rafraîchit les grottes, été comme hiver.

Or ces fleurines naturelles sont reliées aux caves : le secret du Roquefort est là, alliance magique de la nature et de l'homme. Le maître affineur peut donc jouer sur la température en ouvrant ou non les "fenêtres" des fleurines, dispensant un vent glacial.

Une fois descendus en cave, les pains de Roquefort sont percés de 32 aiguilles : ce procédé se retrouve dans la fabrication des *bleus*, il permet au gaz carbonique de s'échapper et favorise la floraison. Les *cabanières*, qui désignent les femmes qui travaillent dans les caves de Roquefort, déposent verticalement les pains sur des étagères. Pendant trois à quatre semaines, le pénicillium a le temps de se développer. Pour arrêter la floraison, les pains sont ensuite enveloppés de papier d'étain pur: c'est *l'étamage.* Pendant plusieurs mois, le Roquefort poursuit sa maturation. On dit qu'il "prend du montant", c'est-à-dire que le goût et l'arôme s'affinent. Au bout de quatre mois d'affinage, le Roquefort est consommable. Les amateurs apprécieront le "vieux roquefort", de douze mois d'âge. Fascinant.

La firme "Société" détient 80% du marché. C'est le premier employeur de la ville. Voilà un bel exemple de fromagerie industrielle de qualité. Des producteurs indépendants fabriquent néanmoins du Roquefort : rendez-leur visite aussi.

LE BLEU DES CAUSSES comme le Bleu d'Auvergne est fabriqué à partir de lait de vache cru. Autrefois, l'on mélangeait lait de vache et de brebis.

L'affinage est long : il s'étend sur 70 jours. Il se pratique obligatoirement dans les caves des Causses où des fleurines naturelles, semblables à celles de Roquefort, permettent la floraison des germes ensemencés. La production est assurée par des laiteries industrielles. Ce fromage se présente sous la forme d'un cylindre de 20 cm de diamètre sur 10 cm de haut.

Par rapport au Roquefort, ce fromage meilleur en été et en automne, a des veinures bien réparties sur toute la pâte. Celle-ci est grasse et sa couleur jaune ivoire tranche avec le blanc du Roquefort. L'odeur du Bleu des Causses est très affirmée, sa saveur prononcée est agréable. Il bénéficie d'ailleurs d'une A.O.C.

LE BLEU DU QUERCY est un cylindre de 20 cm de diamètre sur 10 cm de haut. Fabriqué dans le Lot à partir du lait de vache cru, il est meilleur en été et en automne. Commercialisé sous papier aluminium, il se présente sous la forme d'un pain de 2,5 kg environ. Les veinures sont bien homogènes et la pâte est grasse. Ce fromage à l'odeur puissante, est parfois un peu piquant. Ce qui ne l'empêche pas d'être savoureux.

Restons dans la région pour signaler :

LE CABÉCOU D'ENTRAGUES, fabriqué avec du lait de brebis, de chèvre ou de chèvre et vache mélangé.

Affiné un mois en hâloir, ce petit disque plat aveyronnais a une croûte bleuâtre. Le goût noiseté de ce cabécou fermier est très agréable.

LE ROCAMADOUR OU CABÉCOU DE ROCAMADOUR est un tout petit palais rond de 30 g environ. Affiné pendant une semaine seulement, ce fromage de brebis (mais parfois aussi de chèvre), est revêtu d'une mince peau, légèrement bosselée. Il a une saveur noisetée très agréable. Les causses de Gramat dans le **Lot** produisent des Rocamadours fermiers délicieux. On en fait aussi en Dordogne.

Emballés dans des feuilles de vigne et mis en pots à macérer avec du vin blanc ou de l'eau-de-vie, le Cabécou prend alors le nom de **Picadou.**

En Dordogne et en Lot-et-Garonne, l'appellation **Cabécou du Périgord** peut se rencontrer.

LE CABÉCOU DE LIVERNON est un produit du **Quercy.** Ce fromage au lait de chèvre, à pâte molle et à croûte naturelle, s'apparente au Rocamadour.

LE CHESTER est un fromage du Tarn au lait de vache pasteurisé. Il s'agit d'une pâte pressée non cuite, colorée. L'affinage se fait en cave sèche, pendant six mois, le goût du chester est peu prononcé. Ce fromage se présente sous la forme d'un cylindre de 50 kg et de 50 cm de haut.

Le comté de Foix est connu pour plusieurs fromages.

LES ORRYS est fabriqué à partir de lait de vache. Cette pâte pressée non cuite, affinée pendant quatre mois, donne un fromage de 12 kg . La pâte, souple sous le doigt, a une saveur prononcée.

LE BETHMALE est également un fromage au lait de vache de la famille des pâtes pressées non cuites. De forme cylindrique, ce fromage pèse de 8 à 10 kg. L'affinage dure de trois à quatre mois, il comprend des brossages réguliers. Le Bethmale a une saveur prononcée. La production fermière est encore vivace.

LE MONTSÉGUR est fabriqué à partir de lait de vache pasteurisé. Affiné pendant deux mois en cave humide, ce fromage a un goût peu prononcé. De petits trous sont perceptibles dans la pâte.

LE PASSE-L'AN est un fromage fabriqué dans la région de Montauban à partir de lait de vache pasteurisé.

L'affinage, comme le nom du fromage l'indique, est long : il peut durer deux ans. La meule dépasse 40 kg. A l'oeil, la pâte du fromage est d'un vert jaune. Le Passe-l'an est une imitation du Grana italien.

Les Pyrénées et **le Pays Basque** sont connus pour leur fromage au lait de brebis. Il est vrai qu'ils sont à la hauteur de leurs splendides paysages.

Une A.O.C désigne les meules fabriquées aux alentours de la vallée d'Ossau sous le nom d'**OSSAU-IRATY-BREBIS DES PYRÉNÉES.**

Ces fromages se présentent sous la forme de meules de 4 à 5 kg. Fabriqués à la ferme, ils peuvent peser jusqu'à 7 kg.

Ce sont des pâtes pressées non cuites. Affinés en cave sèche à une température n'excédant pas 11°C pendant trois, voire quatre mois, ces fromages ont un goût délicieux, surtout en été, en automne et en hiver : ils bénéficient alors du lait de *transhumance*.

Le brebis des Pyrénées peut se manger "jeune", sa chair est blanche, sans "yeux", le goût est fruité et doux à la fois.

Le "vieux Pyrénées" offre à la vue une croûte plus rugueuse, plus granuleuse, d'un brun foncé. Sa pâte est alors plus jaune, couleur ivoire, le goût est plus affirmé, plus parfumé aussi. Au delà de quatre mois d'affinage, cette pâte devient cassante.

Dans la région, les laiteries fabriquent des fromages de brebis d'un format plus petit. Sur les marchés, l'on trouve aussi des **tommes de vache** ou des "**mixtes**" : il s'agit de fromages fabriqués avec du lait de brebis et de vache mélangés. Ils se présentent sous la forme de meules de 5 kg ou plus. La pâte comporte de petits "yeux". Sans être désagréables, ces fromages très avantageux financièrement, n'ont pas la subtilité des tommes de brebis.

L'ARDI-GASNA est un fromage fermier au lait de brebis. Il est surtout fabriqué dans la vallée de la Nive. Cette pâte pressée non cuite est affinée pendant 4 à 6 mois. La saveur noisetée des meules de 3 mois devient piquante à partir de 5 mois d'affinage.

Ces tommes peuvent prendre le nom de **LARUNS** dans la vallée d'Ossau.

L'ESBAREICH est le fromage de la vallée de la Lourse dans le Béarn. Fabriqué à partir du lait de brebis pendant la période de *transhumance*, il est affiné à sec pendant 2 à 6 mois. Au bout de 4 mois, la peau devient jaunâtre puis s'épaissit. Ce fromage à saveur fruitée s'apprécie en été et en automne.

L'ETORKI est la versant pasteurisé de l'Ossau-Iraty. Il est loin d'en avoir la saveur, même s'il n'est pas désagréable.

Quant au fade **"PYRÉNÉES-CROÛTE NOIRE"** il n'a que peu à voir avec les subtilités montagnardes.

Ne quittons pas ces fières Pyrénées, encore miraculeusement préservées des pollutions citadines sans nous arrêter sur les **FROMAGES DU VAL D'AZUN** et plus particulièrement **DE LA HAUTE VALLÉE DE L'OUZOUM**.

Entre l'élégant Col du Soulor et celui de Spandelle, absolument prodigieux en automne, une série de petits villages coulent des jours paisibles. Gibier, viandes et fromages, rien ne manque. Les touristes malins peuvent profiter des produits fermiers en fréquentant les marchés d'Arrens-Marsous et d'Argelès-Gazost, dans les Hautes-Pyrénées.

L'on y trouve d'abord des **TOMMES DE BREBIS** fermières. Affinées à sec pendant quatre mois, elles pèsent jusqu'à 5 kg. Les amateurs de fromages forts les laissent "vieillir" plus longtemps encore.

Les **TOMMES DE VACHE** et les **"mixtes"** sont le plus souvent proposés à des prix imbattables, surtout à la ferme.

Les petits fermiers dont les bergeries sont dans la haute montagne remettent les tommes fraîches à des affineurs de la vallée, fermiers eux-mêmes. Pour reconnaître la provenance de ces fromages, un marquage sur la croûte suffit. Un pyrénéen du coin se charge ensuite de vendre ces produits sur les marchés des environs. Le petit commerce s'organise ainsi et malgré les intermédiaires, la vie semble douce dans la vallée de l'Ouzoum. Un amateur de fromages peut-il espérer mieux ?

LES CHÈVRES FERMIERS des Pyrénées méritent eux aussi le détour : tommes de 2 à 3 kg affinées pendant deux mois ou encore **PETITS CROTTINS** à consommer frais ou après deux semaines d'affinage. La saveur noisetée de ces fromages sans noms vaut le détour. Ils sont proposés à des prix imbattables. Comme tous les vrais fromages de montagnes, ceux de la vallée de l'Ouzoum sont fabriqués au lait cru. Ils s'apprécient de juin à novembre, période bénie de la *transhumance*.

Signalons deux fromages industriels au lait de vache pasteurisé : le **SAINT-ALBRAY**, commercialisé en supermarchés en portions comme le **CHAUMES.** Ces deux fromages sont tout à fait honorables.

La Guyenne-Gascogne n'est pas une région de tradition fromagère. Hormis les quelques noms connus, l'on aura intérêt à fureter dans les marchés locaux, à la recherche de producteurs fermiers.

L'AMOU se fabrique dans la région de Dax, aux confins des Landes et du Gers. Ce fromage au lait de brebis est une pâte pressée non cuite. L'affinage, qui dure de deux à six mois, est entrecoupé de brossages, lavages et huilage de la croûte parfois. Ce disque plat de 5 kg entre en fin d'affinage dans la cuisine du cru : la saveur noisetée fait alors place à un goût plus piquant.

LE POUSTAGNAC est un fromage frais des Landes au lait de brebis. Il est mangé une fois battu ou mis en pots à fermenter. Ce fromage est aromatisé aux piments et au poivre.

L'ÉCHOURGNAC est un *trappiste*. Affiné en cave humide pendant trois semaines, ce fromage dordognais à croûte lavée a une saveur douce.

LES FROMAGES DE CHÈVRES DE GUYENNE-GASCOGNE sont peu connus, c'est dommage. Les marchés de Duras, de Bergerac, d'Eymet, ceux du Gers encore proposent des fromages fermiers qui supportent souvent la comparaison avec leurs voisins du Poitou ou du Berry. Le rapport qualité-prix est excellent. Toutes les formes sont présentées, tous les degrés d'affinage aussi. Appelés **"bûches, pyramides, boutons gascons, pavés ou crottins"** ils méritent l'intérêt. Pour ma part, je préfère les chèvres "mi-secs". Leur pâte, délicatement noisetée, est encore tendre sous le doigt. Les amateurs peuvent même manger la peau.

Renseignez-vous néanmoins sur le mode de fabrication et sur le lait utilisé : les boules au lait de vache d'ensilage sont le plus souvent sans intérêt.

Deux fromages industriels au lait pasteurisé enfin : **LE SAINT-MÔRET**, fromage frais légèrement salé, vendu en portions ou en barquettes et **LE TARTARE**, fromage aromatisé à l'ail et aux herbes. Sa matière grasse est de 70%.

j) Fromages du Poitou, des Charentes et du Limousin.

Les **fromages au lait de chèvre** sont les plus nombreux.

LE BOUGON est affiné à sec pendant trois semaines. Ce petit palais rond de 10 cm de diamètre doit être souple sous le doigt. D'une saveur noisetée agréable, ce fromage se rencontre sur les marchés des Deux-Sèvres : empressez-vous de l'acheter s'il est fabriqué à la ferme.

LE MOTHAIS OU CHÈVRE-À-LA-FEUILLE
est fabriqué dans le Poitou. Il s'agit d'un chèvre arrondi, de la forme du Camembert. La fabrication fermière est rare.

LE CHABICHOU DU POITOU bénéficie d'une A.O.C. Il existe un **Chabichou fermier** et un laitier.

Le premier est rare. Il est né sur le plateau de Neuville-de-Poitou. Il a la forme d'un cône tronqué de 100 g environ. Affiné pendant trois semaines en cave sèche, sa croûte bleuit et se couvre de pigments rouges. Il a une saveur prononcée de noisette.

Le Chabichou laitier est affiné à sec pendant une quinzaine de jours. Il est fabriqué dans le Poitou, en Tourraine et

FROMAGES DU POITOU, DES CHARENTES ET DU LIMOUSIN.

Fromages de chèvre en forme de "bûche"

en Charentes. Il est commercialisé sous papier alors que le Chabichou fermier est le plus souvent vendu *à nu*. Il a une saveur fruitée.

LE RUFFEC est un fromage fermier qui a la forme d'un disque épais. Fabriqué dans le Poitou comme son nom l'indique, il se trouve sur les marchés du coin.

Affiné pendant un mois, sa pâte est assez ferme sous le doigt. Le Ruffec a une saveur noisetée.

LE LA MOTHE-SAINT-HÉRAY prend le nom de son village d'origine, dans le Poitou. Il est fabriqué à petite échelle dans des laiteries. Il se présente sous la forme d'un disque plat de 10 cm de diamètre. L'affinage se fait pendant quinze jours, en cave sèche. D'une saveur plutôt relevée, ce fromage est revêtu d'une croûte blanchâtre. Choisissez-le quand il est tendre sous le doigt.

LE COUHÉ-VÉRAC est fabriqué dans un village du Poitou du même nom. Ce fromage de 250 g a une croûte légèrement bleue, sa pâte doit être ferme sous le doigt. Le Couhé-Vérac a saveur fruitée et noisetée.

LA BÛCHE DU POITOU est affinée pendant un mois en cave sèche. Ce long cylindre mesure environ 30 cm de longueur. Fabriqué à une échelle industrielle, il a une saveur noisetée. Sa croûte est légèrement bleutée.

LE SAINT-MAIXENT est affiné à sec pendant six semaines, il est normal qu'il ait un goût relativement relevé. De forme carrée, ce fromage de chèvre, vendu *à nu* sous des feuilles de platane, est ferme sous le doigt. Sa croûte est couleur gris bleu.

SAINT-GELAIS est un autre appellation pour Saint-Maixent.

LE SAINT-SAVIOL est un fromage industriel au lait de chèvre. Comme le **SAUZE-VAUSSAIS**, il tire son nom de sa localité de fabrication, dans le Poitou.

LA JONCHÉE NIORTAISE est vendue sur des nattes de joncs. Ce fromage battu au lait de chèvre se consomme très frais. La jonchée est de fabrication fermière.

LE PARTHENAY est également une pâte fraîche au

lait de chèvre.

LE SABLEAU OU TROIS-CORNES a une semaine d'affinage.

De forme triangulaire, ce fromage de 200 à 300 g a une saveur crémeuse et douce. La fabrication est essentiellement fermière.

LE LUSIGNAN est également un fromage semi-frais. Après une semaine d'affinage, il est vendu sous la forme d'un disque plat. De saveur très crémeuse, il entre dans la fabrication des étonnants **tourteaux fromagés**, délicieux au petit-déjeuner ou en casse-croûte.

Fromage de chèvre industriel au goût très agréable : **LE SAINT-LOUP.** Vous trouvez facilement ce fromage des Deux-Sèvres en supermarchés.

LA PIGOUILLE désigne la perche avec laquelle les habitants du marais poitevin poussent leurs barques. C'est aussi le nom d'un fromage industriel au lait de chèvre ou de vache. Il s'agit d'une pâte molle, légèrement pressée. La saveur de la Pigouille est très neutre, pour ne pas dire fade.

Terminons ce petit tour des Charentes et du Limousin en signalant quelques spécialités au **lait de brebis :**

LA JONCHÉE D'OLÉRON, fabriquée dans l'Aunis. Il s'agit d'une pâte fraîche sans affinage au lait de brebis. Elle est souvent présentée dans un récipient. Sa saveur crémeuse est appréciée. Ce fromage doit être consommé très frais.

LA CAILLEBOTE D'AUNIS est une pâte fraîche non salée. Ce fromage très mou, agrémenté souvent de crème fraîche est blanc à l'oeil, doux au goût.

De fabrication fermière, il peut être sucré et mangé avec des fruits. Il arrive que la Caillebote soit fabriquée à partir de lait de chèvre et même de vache. Ce fromage tire son nom des étagères à claire-voie, "les caillebotis", sur lesquelles il est mis à égoutter.

LA TOMME DE BRACH provient du canton de Tulle. Ce fromage de brebis est affiné pendant trois mois à sec. Il a la forme d'un cylindre d'environ 800 g. Seule la fabrication fermière assure la pérennité de ce fromage.

Seul fromage connu au **lait écrémé de vache, LE CREUSOIS**. Il est fabriqué à la ferme dans la région de La Souterraine, pendant l'été, du fait des laits abondants. Il se présente sous la forme d'un disque épais d'une livre. Il est affiné en pots. Sa croûte est dure et son goût très prononcé.

k) Fromages du Centre et de l'Ile-de-France.

L'on adoptera l'ordre suivant :
-**fromages de chèvre de Touraine et du Berry**
-**fromages au lait de vache de l'orléanais et de l'Ile-de-France** : **Cendrés, Bries** et **Triple-crème.**

La Touraine, l'Anjou et le Berry produisent les **fromages de chèvres** les plus réputés du pays.

Nombreuses sont les A.O.C.

Assurez-vous néanmoins du mode de fabrication de ces fromages avant de les acheter : préférez les chèvres fermiers ou de petites laiteries au lait *cru*, même s'ils sont un peu chers.

LE SAINTE-MAURE bénéficie d'une A.O.C. Il a la forme d'une bûche de 15 cm de longueur et 4 cm de diamètre. Une paille traverse en son centre ce célèbre fromage de chèvre. Elle est destinée à faciliter le démoulage.

Fabriqué à la ferme, le Sainte-Maure est affiné à sec pendant un mois. Sa croûte, qu'il ne faut surtout pas manger, devient alors d'un bleu gris uniforme. Quand la pâte est blanche, serrée et drue, le Sainte-Maure dispense une saveur fruitée très agréable, d'une grande subtilité.

Le Sainte-Maure est également fabriqué à l'échelle industrielle. Il est évidemment moins savoureux.

LE LIGUEIL est un fromage de chèvre industriel. Il s'apparente au Sainte-Maure laitier.

LE TOURNON-SAINT-PIERRE est également un fromage de Touraine. C'est un haut tronc de cône de 250 g. Au bout de trois semaines d'affinage à sec, ce fromage fermier revêt une peau finement bleutée. Il a un goût délicatement noiseté.

LE POULIGNY-SAINT-PIERRE est un fromage de l'Indre en forme de pyramide légèrement décapitée.

Le caillage s'effectue en deux jours maximum grâce à un

FROMAGES DU CENTRE ET DE L'ÎLE-DE-FRANCE.

emprésurage modéré. Moulé à la louche et affiné en hâloir ventilé pendant deux à cinq semaines, ce fromage développe une fine croûte, légèrement granuleuse, colorée de pigments jaunes et gris bleu. Personnellement, je préfère enlever la peau : elle est trop piquante pour ne pas nuire aux fines saveurs noisetées de la pâte. Ce fromage bénéficie d'une A.O.C.

LE VALENÇAY ressemble, comme le Pouligny-Saint-Pierre, à une pyramide. Toutefois, il est facile de ne pas les confondre. Le Valençay est plus bas. En outre, il est souvent *cendré* c'est-à-dire recouvert de charbon de bois pulvérisé. Ce fromage bénéficie d'une A.O.C.

Le Valençay fermier est affiné en hâloir ventilé pendant cinq semaines. Fabriqué au nord de l'Indre, il offre une saveur douce et noisetée. Il est plus crémeux que le Pouligny. Je conseille encore une fois d'enlever la peau de ce fromage.

Le Valençay laitier est affiné pendant quatre semaines maximum. Dans les supermarchés, il est vendu sous papier. Il n'est pas toujours cendré.

LE LEVROUX est l'autre nom du valençay fermier.

LE SELLES-SUR-CHER est fabriqué dans le Sud de la Sologne, en Loir-et-Cher. Il doit être acheté quand il est un peu ferme sous le doigt, sans être dur. Il a la forme d'un tronc de cône plat de 3 cm d'épaisseur.

Affiné pendant trois semaines, il est cendré au charbon de bois. Aussi, mieux vaut-il enlever (au moins partiellement) la peau pour ne pas altérer la douce saveur noisetée de ce chèvre fermier. Ce fromage est plus petit que les deux précédents, il pèse généralement moins de 150 g. Il bénéficie également d'une A.O.C.

LE MONTOIRE a la forme d'un tronc de cône de 5 cm de hauteur. Affiné à sec pendant trois semaines, il a une saveur fruitée. De fabrication fermière, il s'apparente très fortement au **VILLIERS-SUR-LOIR**, fromage fermier au lait de chèvre fabriqué lui-aussi aux alentours de Montoire.

LE CROTTIN DE CHAVIGNOL est sûrement aussi connu que le Camembert et le Roquefort. Il est vrai que l'appellatif "crottin" est abusivement utilisé pour désigner tout fromage de chèvre ayant la forme d'une petite boule applatie. Sans doute le mot tire-t-il son origine de la forme arrondie du "crottin" de chèvre. Chavignol désigne une petite bourgade du Sancerrois.

Le Crottin fermier est évidemment meilleur. Au bout de

trois semaines d'affinage, une peau brune, rousse, légèrement rougeâtre le recouvre. Une fois cette croûte enlevée, la saveur prononcée mais subtile de ce fromage est plus aisément perceptible. Pour faire un Crottin, il faut plus d'un demi-litre de lait. Une fois le caillage effectué, le moulage se fait à la cuillère. Le lendemain, le démoulage est immédiatement suivi du salage et de l'égouttage sur claie à claire-voie. Le plus souvent l'affinage est assuré par le crémier lui-même en cave ventilée n'excédant pas 13°C.

C'est le cas pour la plupart des "petits" chèvres du Berry. Le Crottin s'affine jusqu'à trois semaines. Dans sa région d'origine, il arrive qu'il soit mis en pot de grès et consommé au bout de deux à trois mois d'affinage. Sa saveur est alors beaucoup plus forte. Faut-il ajouter que ce fromage bénéficie d'une A.O.C?

Le Crottin de Chavignol peut se consommer à différents moments. Juste égoutté, il se mange frais, avec de la ciboulette. Légèrement bleuté, il a une saveur noisetée. Au bout de trois semaines d'affinage, il est très sec : en enlevant la peau, la saveur sera prononcée et fruitée sans être piquante.

LE CHAVIGNOL-SANCERRE a la forme d'un petit palais rond. De fabrication fermière, ce chèvre est affiné pendant deux semaines. Sa croûte jaune se pigmente alors de bleu. La saveur délicatement noisetée de ce fromage est recherchée.

LE CRÉZANCY OU CRÉZANCY-SANCERRE a la forme d'une boule applatie. Affiné pendant deux à trois semaines, sa peau devient bleutée. Ce fromage a une saveur douce et fruitée.

LE SANTRANGES-SANCERRE est plus gros que le Crézancy. Affiné pendant un mois, ce fromage de 150 g environ a une croûte blanche, veinée de jaune et pigmentée de bleu. Il a une saveur prononcée.

Signalons une production fermière intéressante : les **CHÈVRES DE L'EURE-ET-LOIR**, fabriqués à Marsauceux ou dans les environs. L'on trouve ces fromages sur les marchés de la région. Il ne faut pas hésiter à les goûter car ils valent souvent la peine, pour un prix modique.

Avant de passer aux grands fromages de vache à pâtes molles, signalons **la tradition des cendrés**, pavés ronds au lait de vache affinés dans de la cendre.

LE VENDÔME CENDRÉ est une fabrication fermière des environs du Villiers-sur-loir. Il appartient à la famille des pâtes molles à croûtes naturelles. Ce fromage rond de 200 g est *cendré*, comme son nom l'indique. Il a une saveur très fruitée.

Cette tradition des fromages cendrés est très vivace dans **l'Orléanais** et dans **la Beauce.**

LE FRINAULT est un fromage au lait de vache, à pâte molle et à croûte naturelle. Affiné pendant trois semaines en cave humide, ce petit disque de 9 cm de diamètre a une saveur prononcée. Le Frinault cendré est affiné dans de la cendre pendant un mois.

L'OLIVET OU OLIVET CENDRÉ appartient à la même famille. Fabriqué à la ferme ou dans des petites laiteries, il est affiné à sec dans des coffres remplis de cendre de bois. Cette opération dure de un à trois mois. Ces palais ronds de 12 cm de diamètre sur 2 cm d'épaisseur sont meilleurs en été.

LE PANNES cendré est également un fromage au lait de vache à 30% de matières grasses seulement. Affiné à sec dans de la cendre pendant trois mois, il a une saveur très prononcée.

LE PATAY est affiné pendant six semaines dans de la cendre. De forme cylindrique, ce fromage bleuté a une saveur prononcée.

LES AYDES est un fromage cendré de l'orléanais. Il a les mêmes caractéristiques que les autres : lait de vache, forme ronde, affinage sous la cendre, goût prononcé.

LE VOVES CENDRÉ est un fromage au lait de vache. Affiné à sec pendant un mois et sous la cendre trois mois de plus, il a la forme d'un disque plat d'environ une demi-livre. Ce fromage a une saveur très prononcée. Il est surtout fabriqué dans la région drouaise.

LE GIEN est quant à lui originaire de la région du Châtillon-sur-Loire. Il peut être fabriqué à partir de lait de vache, de chèvre ou d'un mélange des deux. Affiné à sec pendant un mois, généralement dans de la cendre, il a la forme d'un cylindre de 8 cm de diamètre. A l'oeil, il a souvent une croûte bleutée, surtout quand il est fait au lait de chèvre, sa saveur est alors noisetée.

Quittons les cendrés pour nous intéresser aux autres pâtes molles à croûtes naturelles, **fromages au lait de vache de la région orléanaise et de l'Ile-de-France.**

LE BRIE DE MEAUX est un grand disque plat de 25 à 40 cm de diamètre. Une fois salé, le caillé est mis en moule circulaire de tôle de diamètre variable. L'affinage se fait à sec pendant un mois, sur lit de paille incliné si bien que le Brie n'a pas uniformémént la même épaisseur. La croûte blanche du Brie est parsemée de zones brunes, surtout aux *talons*. La pâte, d'un jaune clair brillant et où affleurent de toutes petites bulles, doit être dégustée *à coeur*. Le plus souvent, le Brie de Meaux s'achète à la coupe. La partie la plus affinée est la moins épaisse.

Il vaut mieux débarrasser le Brie de sa peau pour mieux en apprécier la saveur.

Le Brie de Meaux fermier, fabriqué à Meaux et dans les environs, dans la vallée du grand et du petit Morin, a une saveur très fruitée.

LE BRIE DE MELUN ne dépasse pas 25 cm de diamètre. Un peu plus épais que son voisin de Meaux, il se reconnaît à la couleur brun roux de sa croûte : à la différence du Brie de Melun, le blanc est moins prédominant. L'affinage dure de un à deux mois et demi. Ce Brie, comme celui de Melun, bénéficie d'une A.O.C. Pour apprécier le goût fruité et délicat de ce fromage, il me paraît indispensable d'enlever la peau. Les amateurs de fromages au goût relevé préféreront néanmoins la manger.

Le Brie de Melun se mange également **frais.** Saupoudré de charbon de bois, il prend parfois le nom de **Brie de Melun bleu.** Ce disque plat de 25 cm a une saveur douce et crémeuse, d'aucuns diront fade. Cela s'explique du fait de l'absence d'affinage.

Il existe bien sûr un **Brie laitier,** vendu sous emballage, en portions et même parfois à la coupe. Il est fabriqué au lait pasteurisé. Affiné à sec pendant seulement trois semaines, il a moins de saveur et de fondant que le Brie fermier.

LE BRIE DE MONTEREAU, petit village de la Seine-et-Marne, est de fabrication fermière. Affiné pendant six semaines en cave humide, il a une saveur prononcée. Sa croûte, comme celle du Brie de Melun, est dominée par le roux.

LE BRIE DE COULOMMIERS est affiné à sec pendant un mois. Ce disque de 25 cm de diamètre est de fabrication fermière. Il a une saveur prononcée et sa croûte est pigmentée de rouge.

LE COULOMMIERS est connu un peu partout en France. Plus petit que le Brie en diamètre, il est néanmoins d'une taille supérieure au Camembert de Normandie. Des feuilles de fougères parent le plus souvent sa croûte blanche, légèrement brune aux talons. Le Coulommiers doit être mangé à *coeur*, il ne faut pas qu'il coule. D'un jaune brillant, sa pâte est souple sous le doigt.

LE FOUGERUS est un gros Coulommiers, il est revêtu de feuilles de fougère.

Consommé frais, quasiment sans affinage, le Coulommiers peut prendre le nom de **FROMAGE À LA PIE**. Cette appellation est néanmoins un peu restrictive. On a coutume d'appeler Fromage à la Pie toute pâte fraîche non salée.

LE CHEVRU est affiné à sec sur des feuilles de fougère pendant un mois. Ce fromage de l'Ile-de-France de petite fabrication artisanale a une saveur fruitée. Il se présente sous la forme d'un disque de 16 cm de diamètre. La peau est blanche et duveteuse.

LE BONDAROY AU FOIN OU **PITHIVIERS AU FOIN** est un fromage au lait de vache affiné pendant cinq semaine. Ce disque de 12 cm de diamètre, semblable en cela au Coulommiers, est recouvert de brins de foin, ce qui lui donne une saveur prononcée. La fabrication fermière est concurrencée par celle des petites laiteries.

LE SAINT-BENOÎT est un fromage fermier au lait de vache écrémé et affiné pendant un mois. Peu à peu, la croûte devient jaunâtre. Ce disque de 400g environ, fabriqué à Saint-Benoît-sur-Loire a une saveur fruitée assez prononcée.

LE VILLEBAROU a une saveur prononcée, il est affiné pendant trois semaines à sec. Ce fromage au lait de vache, à pâte molle et à croûte naturelle, est fabriqué à la ferme. Il a la forme d'un disque de 18 cm de diamètre sur 2,5 cm d'épaisseur. Présenté à nu sur des feuilles de platane, il a une croûte légèrement bleutée.

LE DÉLICE DE SAINT-CYR est un fromage au

lait de vache affiné pendant trois semaines en cave sèche dans les environs de Saint-Cyr-sur-Morin. Sa croûte blanche est parsemée de petites tâches rouges. Ce fromage a une saveur très douce.

LE PAVÉ BLÉSOIS OU **PAVÉ DE SOLOGNE** est un fromage au lait de vache et à croûte charbonnée. Affiné pendant un mois en cave sèche, il a la forme d'un carré de 10 cm de côté. Fabriqué dans de petites laiteries, ce fromage a une saveur noisetée.

LE GRAND-VATEL est un fromage industriel au lait de vache pasteurisé.

Dernier **conseils pour les Bries et autres Coulommiers fermiers** : en hiver, ils sont un peu plus salés. Il est donc conseillé d'enlever leur peau. Rien n'interdit en outre d'adoucir la sapidité de la pâte avec un peu de beurre cru.

Le conseil ci-dessus vaut pour la **FEUILLE DE DREUX** OU **DREUX À LA FEUILLE**, fromage au lait de vache partiellement écrémé.

Ce produit, semblable à un Camembert moins épais, est très ancien. Affiné à sec sous des feuilles de châtaigniers, il a une saveur fruitée, quand il est bien à *coeur*. La production fermière se fait rare.

Terminons par les **pâtes fraîches** et les **fromages triple-crème.**

LE FONTAINEBLEAU est un fromage frais au lait de vache et de fabrication industrielle. Battu, il se mange avec du sucre ou avec des fruits.

Les *triple-crème* sont des fromages semi-frais au lait de vache enrichis de crème fraîche.

L'EXPLORATEUR a la forme d'un cylindre de 8 cm de diamètre sur 6 cm de hauteur. La peau fine de ce fromage est veinée de stries blanchâtres.

L'Explorateur est très crémeux, sa chair blanche a une saveur douce et salée. Il paraît préférable de le consommer avec du pain de campagne ou du pain de seigle. C'est un délicieux casse-croûte, peu propice aux régimes puisqu'il contient 75% de matières grasses. L'Explorateur est fabriqué en petites laiteries industrielles.

LE GRATTE-PAILLE est un triple-crème fermier fabriqué dans l'Ile-de-France.

LE BOURSAULT est un triple-crème industriel de la Brie, affiné pendant trois semaines.

Achetez-le et laissez-le dans le fond de votre réfrigérateur pendant deux à trois jours, enveloppé dans du papier sulfurisé. Il est alors très onctueux, une fine croûte jaune orangé le recouvre. Ce fromage doux, légèrement salé, est délicieux comme casse-croûte, avec du pain un peu rassis. Il a la forme d'un cylindre de 5 cm de haut

LA GOURMANDISE est une spécialité industrielle de l'Ile-de-France. Produite toute l'année, elle se présente sous emballage plastique. Il s'agit d'une pâte fraîche, vendue sans affinage.

l) Fromages de Bretagne et des Pays de Loire.

La Bretagne fournit une grande partie du fromage consommé en France. Bien sûr, il s'agit d'une production industrielle à grande échelle. La qualité et la saveur ne sont pas toujours au rendez-vous. L'Emmental breton par exemple n'a rien à voir avec celui des fruitières de montagnes. Il faut le savoir pour comparer et choisir librement.

La Bretagne a néanmoins une tradition fromagère, celle des **trappistes** ou fromages monastériens à pâtes pressées au lait de vache. Citons-en quelques-uns.

LE TRAPPISTE DE LA MEILLERAYE, pâte pressée non cuite à croûte lavée. Ce pavé rond de 2 kg, affiné pendant deux mois en cave humide, a une saveur assez prononcée.

LE TRAPPISTE DE CAMPÉNÉAC est fabriqué dans une abbaye du même nom, près de Ploëmel, dans le Morbilhan. Affiné pendant deux mois en cave humide, ce pavé de 2 kg a une saveur douce.

LE TRAPPISTE D'ENTRAMMES, du nom de l'abbaye du même nom. Ce fromage à pâte pressée et à croûte lavée de moins d'une livre, avait un goût fruitée (aux dernières nouvelles, il ne serait plus fabriqué).

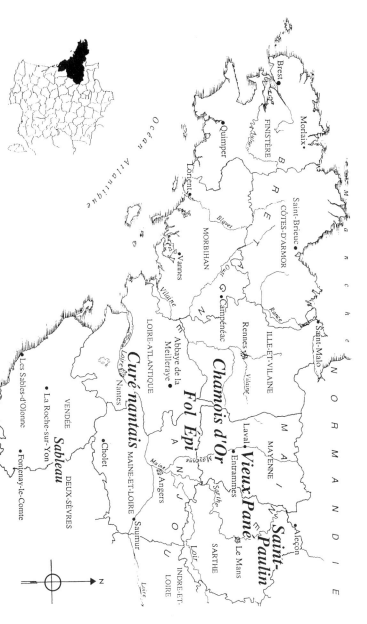

FROMAGES DE BRETAGNE ET DES PAYS-DE-LOIRE.

L'abbaye du Port-du-salut à Entrammes s'était rendue célèbre grâce au **PORT- SALUT**, fromage à pâte blanche et à saveur crémeuse et douce. Le journal Libération du 05-10-88 annonçait sa mort. Les moines de l'abbaye venaient de mettre en vente leur troupeau de vaches laitières. Le frère Emmanuel justifiait cet acte par la chute des vocations .

LE TRAPPISTE DE TIMADEUC dans les Côtes-du-Nord

LE TRAPPISTE DE LA COUDRE en Mayenne.

LE CARRÉ BRETON en Ille-et-Vilaine.

LE SAINT-PAULIN fromage industriel au lait de vache fabriqué dans le Maine. Affiné pendant deux mois en cave humide avec lavages, ce fromage a la peau orange de 2 kg a une saveur douce. Il s'apparente à feu **Port-Salut**.

LE NANTAIS OU FROMAGE DU CURÉ OU CURÉ NANTAIS est un fromage à pâte pressée non cuite et à croûte lavée. Affiné pendant un mois, ce fromage carré à angles arrondis est semblable au Saint-Paulin mais il a une saveur plus prononcée. Son odeur est également plus forte.

Signalons encore, **LE CRÉMET NANTAIS**, fromage frais à saveur crémeuse et douce. Cette fabrication industrielle de Haute-Bretagne se mange agrémentée de sucre.

LE VIEUX PANÉ est un fromage industriel au lait de vache pasteurisé. Affiné pendant trois semaines, lavé plusieurs fois, il développe une croûte brune. Ce fromage, qui s'apparente un peu au Pont-l'Evêque, a une saveur prononcée.

LE CHAMOIS-D'OR est fabriqué dans la Mayenne avec du lait de vache pasteurisé. Il s'agit d'une pâte pressée. Ce fromage crémeux a une saveur peu prononcée.

LE FOL ÉPI est un fromage industriel au lait de vache pasteurisé. Il a une pâte à trous. Sa saveur est relativement fruitée. L'affinage de ce fromage fabriqué en Mayenne est de sept semaines.

Comme le Sud-Ouest, la Beauce et le Languedoc, la Bretagne produit des **FROMAGES FERMIERS AU LAIT DE CHÈVRE.** On les trouve sur les marchés de la Mayenne. Ils valent généralement la peine et sont d'un prix très intéressant.

m) **Fromages de Normandie.**

Commençons par ce fromage, associé par nos voisins au peuple français:

LE CAMEMBERT. Dans le **Dictionnaire géographique et historique,** Thomas Corneille, frère de l'auteur du **Cid** et d'**Horace,** consacre un article à la ville de *"Vimoutiers"* dans le pays d'Auge : *"On y tient tous les lundis un gros marché où l'on apporte les excellents fromages de Livarot et de Camembert"* écrit-il.

Depuis, l'irrésistible ascension du Camembert n'a pas cessé. Grâce au chemin de fer, il "monte à Paris" à la fin du XIXème siècle, empaqueté dans ces fameuses boîtes rondes aux étiquettes bientôt célèbres. Séduit par son goût, Napoléon III l'installe aux Tuileries où il trône sur les marchés. Lors de la grande guerre, l'on tient le Camembert pour une nourriture commode, facile à transporter. L'intendance militaire ne se prive pas d'en commander à la pelle. Les poilus de 14-18 de France et de Navarre vont manger du "claco". L'engouement subsiste après la guerre. La vérité devient peu à peu incontournable : le camembert, c'est un peu la France.

Pourtant, au départ, le Camembert est typiquement normand. Il existe bien un petit village de ce nom, près de Vimoutiers, dans le pays d'Auge.

Ce fromage a même une légende.

Un beau matin de l'an 1791, l'on raconte qu'un prêtre réfractaire fuyant la Révolution Française se serait réfugié dans la ferme d'une certaine Marie Harel. La bonne femme, pour obéir à Dieu, aurait protégé son ministre. La suite prouva qu'elle n'eut pas à s'en repentir. Le prêtre ragaillardi lui confia, en guise de récompense, la recette de ce qui allait devenir le Camembert. Bonne aubaine en vérité, qui valut au petit fils de la Marie en question, Victor Paynel, de venir quelques années plus tard aux Tuileries vendre ses fromages, avec la bénédiction de l'empereur Napoléon III.

Peu importe que cette histoire soit fausse et que Marie n'ait jamais habité à Camembert. Cette jeune femme née à Crouttes, signe prémonitoire du ciel, contribua au moins à perfectionner une recette existante. Grâce à elle, le Camembert fut promu à un avenir florissant. Il est finalemnt légitime qu'elle ait aujourd'hui sa statue à Vimoutiers, à côté de celle érigée à la gloire de la vache normande. Depuis peu, le village de Vimoutiers s'est enrichi d'un musée du Camembert. Après la projection d'un film

FROMAGES DE NORMANDIE.

sur l'histoire et la fabrication du Camembert, le visiteur pourra admirer des ustensiles anciens de fabrication avant de terminer son parcours par une dégustation bien méritée de fromages normands.

Au cours de son histoire, le Camembert eut à souffrir de son succès. Sa fabrication devint anarchique, faute de lois strictes le protégeant. Les zones de collectes du lait, les races des vaches ne furent jamais rigoureusement définies. Dès les années 1950, le pays d'Auge vit alors son trésor lui échapper avec la pratique de la *pasteurisation* et la mécanisation intensive. Les camemberts fleurirent un peu partout, dans le pays et dans le monde.

Comment reconnaître aujourd'hui l'authentique du faux? Le vrai, le seul, l'unique, celui qui détient depuis 1983 une A.O.C se nomme **"véritable camembert de Normandie, au lait cru, moulé à la louche, 45% de mg"**. Celui-ci est rare (moins de 10% de la totalité des camemberts), assez couteux, mais bon. Il ne peut être produit que dans les cinq départements normands.

Voici en gros, comment il se fabrique : le caillé emprésuré est versé à la louche dans des moules percés. Un minimum de quatre passages est prévu. Après égouttage, le fromage est retourné et frotté au sel sec, des deux côtés. L'affinage de cette pâte molle à croûte fleurie dure un mois environ. Il a lieu dans des caves ventilées.

Les Camemberts fermiers existent encore, vous rencontrerez des producteurs sur la "route du camembert" qui passe à Vimoutiers.

Toutes les productions industrielles ne sont pas mauvaises, loin de là. L'U.C.L Isigny-Sainte-Mère par exemple fabrique un Camembert moulé à la louche particulièrement intéressant. Cette société a en outre un excellent beurre cru.

Un bon Camembert a une croûte à dominante blanche. Quelques stries irrégulières et rousses la parsèment. Elles ne doivent pas être prédominantes, sauf aux talons. Le Camembert doit être souple sous le doigt, sans trop. Il se mange *à coeur* mais surtout pas coulant. Qui saurait alors lui résister?

LE LIVAROT est un fromage au lait cru de vache. Il appartient à la famille des pâtes molles à croûtes lavées. Il tire son nom d'un petit village de la vallée d'Auge. Cité par Thomas Corneille dans son dictionnaire (cf supra, article Camembert) en 1708, ce fromage est sans doute avec le Neufchâtel un des plus anciens de Normandie.

Après emprésurage, le caillage est rapide. Le caillé est découpé deux fois puis légèrement brassé avant d'être mis en moule. Placé alors en salle chaude pendant une journée, le Livarot est tourné et retourné. Une fois le ressuyage et le sallage effectués, les Livarots qui ont la forme de cylindres de 12 cm de diamètre sur 5 cm d'épaisseur sont descendus dans des caves. Pendant un mois, ces fromages blancs sont lavés. Peu à peu la croûte devient naturellement rougeâtre. Au cours du troisième et ultime lavage, une solution d'eau et de rocou est utilisée. Le rocou est extrait des graines du rocouyer, abre d'Amérique du Sud. L'affinage se poursuit pendant deux à trois mois en cave humide.

Le fromage se présente entouré de minces lanières de jonc (ou de papier) appelées "laîches" qui l'empêchent de s'affaisser au cours de l'affinage. Le plus souvent elles sont au nombre de cinq, ce qui valut au Livarot le surnom de colonel.

Cet excellent fromage, à la pâte jaune, brillante se mange à *coeur*. Meilleur de novembre à juin, il a une saveur prononcée et une forte odeur. Une A.O.C lui a été attribué en 1972.

La fabrication fermière est malheureusement rare aujourd'hui. Comme pour le Camembert, des industries locales essayent de perpétrer la tradition. La société Graindorge y parvient avec bonheur. Elle détient 70% des parts en Livarots : en 1992, 895 tonnes de ce fromages ont été produites. Détail qui ne trompe pas : la société utilise pour ses Livarots supérieurs de la laîche naturelle, typhia latifolia, provenant des joncs des marais normands.

LE PETIT-LISIEUX OU DEMI-LIVAROT est un fromage à pâte molle et à croûte lavée. Affiné pendant deux mois en cave humide, il a une forme cylindrique. Ce fromage très ancien, entouré comme le Livarot de lanières de roseaux, est rare.

LE MIGNOT est fabriqué à Vimoutiers. Ce disque de 12 cm de diamètre a une saveur fruitée. Semblable au Livarot quant à la forme, il n'est pas lavé au cours de l'affinage.

LE PONT-L'ÉVÊQUE est un fromage au lait de vache. Il est incontestablement meilleur quand il est fabriqué avec du lait cru. Il appartient à la famille des pâtes molles à croûte lavée. Ce fromage très ancien tire son nom d'un village du Calvados.

Le caillage s'effectue en moins d'une heure. Le caillé est moulé sans être brisé, après un rapide égouttage sur claies. Les moules donnent aux fromages une forme carrée (10 cm de côté sur 3 de hauteur). Ils sont retournés plusieurs fois, puis salés au bout de quatre jours. Affinés généralement en cave humide pendant un mois et demi, ils subissent des lavages. Peu à peu, la peau devient croûte et revêt une couleur uniforme, brun pâle.

Le Pont-l'Evêque se mange *à coeur*, la pâte est jaune pâle, elle ne doit couler en aucun cas. Ce fromage au goût délicieux et subtil a souvent une forte odeur. Elle ne doit pas décourager les élégants : le Pont-l'Evêque à coeur est un des fromages les plus raffinés qui soient.

Le Pont-l'Evêque bénéficie d'une A.O.C, obtenue en mai 1976. La fabrication fermière devient rare. Des laiteries industrielles normandes maintiennent très convenablement les traditions.

LE PAVÉ D'AUGE est un terme commode pour désigner les fromages carrés de basse-Normandie proches du Pont-l'Evêque. **Le pavé de Moyaux** par exemple est affiné pendant trois mois. Il est lavé à l'eau salée et développe une saveur assez relevée.

LE NEUFCHÂTEL est le plus ancien des fromages normands. Il est fabriqué aux alentours de Neufchâtel-en-Bray, dans un rayon de trente kilomètres. Cette région, où le vent pénètre assez peu, offre des plaines étroites aux sols humides. Le Neufchâtel bénéficie ainsi des gras *herbages* du pays : il se déguste plus volontiers en été et au début de l'automne.

Depuis 1969, une A.O.C le protège. Fabriqué avec du lait de vache, cette pâte molle à croûte fleurie, duvetée de blanc est d'une saveur douce.

LE NEUFCHÂTEL FERMIER nécessite un caillage de deux jours. Pour accélérer l'égouttage, la pâte est pressée. Le caillé initial est ensuite mélangé avec d'autres fromages : cette opération s'appelle "vaccination". Une fois pressé dans des moules, l'affinage du Neufchâtel se fait à sec, en cave fraîche, pendant trois semaines. Au delà, la croûte devient plus brune et le goût est plus prononcé. Ce fromage est moelleux, il a un goût assez relevé.

Le Neufchâtel se présente sous la forme de cylindre, de carré, de brique ou le plus souvent de coeur. A l'origine, il s'agit bien sûr d'un fromage fermier, on en rencontre encore, vendu sur des *paillons*. De plus en plus néanmoins, le Neufchâtel est fabriqué dans des laiteries.

LE BONDARD est semblable au Neufchâtel mais il est enrichi en crème. Il est affiné pendant quatre mois. Il a la forme d'un cylindre long de 9 cm.

LE BONDON DE NEUFCHÂTEL n'a que 45% de mg, comme le Neufchâtel. Ce petit cylindre de 5 cm de diamètre est souple sous le doigt. Sa pâte lisse offre une saveur fruitée. De plus en plus, ce fromage est fabriqué avec du lait pasteurisé.

LE GOURNAY est fabriqué dans de petites industries. Il se présente sous la forme d'un disque de 8 cm de diamètre. Sa croûte est duvetée de blanc. Mangé frais, le Gournay est une espèce de Neufchâtel non affiné.

LE COEUR DE BRAY est affiné pendant trois semaines. En forme de coeur comme son nom l'indique, ce fromage au lait de vache, voisin du Neufchâtel, a une saveur fruitée.

LE CARRÉ DE BRAY est un fromage à pâte molle et à croûte fleurie. Affiné pendant deux semaines, il est fabriqué à la ferme, dans les environs de Forges-les-Eaux et Gournay-en-Brie.

Fromage de type monastérien, **LE BRICQUEBEC.** Affiné pendant deux mois en cave humide, ce fromage au lait de vache pasteurisé proche du Saint-Paulin a assez peu de saveur.

La Normandie aime la crème, c'est peu de le dire. Nous avons déjà signalé **le bondard**, double-crème. Il faut ajouter **LA BOUILLE,** gros cylindre d'1 kg, affiné pendant deux à trois mois. Vendu au détail parfois, ce fromage a une saveur relevée. Il fut inventé par un certain M. Fromage, non pas né à Crouttes, comme "Marie camembert", mais à la Bouille.

Ce même homme illustre inventa un autre double-crème, **LE MONSIEUR**, affiné à sec pendant six semaines. Il s'agissait d'un petit fromage, de 150 g environ. Fabriqué avec du lait cru, ce fromage à la saveur fruitée est meilleur en été, du fait des riches pâturages.

LE BRILLAT-SAVARIN, L'EXCELSIOR ET LE FIN-DE-SIÈCLE sont trois très bons triple-crème. Ils offrent en plus l'avantage d'avoir de beaux noms, vaguement raffinés. Enrichis de crème, ils ont 75% de mg. L'affinage de ces fromages n'excède généralement pas une semaine. Ils sont fabriqués dans de petites laiteries. Leur saveur douce, crémeuse et légèrement salée fait que je les préfère en casse-croûte, avec un vin rouge frais et léger.

Dans les productions industrielles, signalons encore :

LE BOURSIN, fromage frais aromatisé à l'ail et aux fines herbes. Il est commercialisé sous emballage, parfois sous la forme de petits carrés. Il s'agit d'une pâte fraîche contenant 75% de matières grasses.

LE DEMI-SEL, pâte fraîche salée au lait de vache pasteurisé.

III

APPRÉCIER LE FROMAGE

a) Comment servir le fromage?

Le "plat à fromages".

Si vous proposez un seul fromage à vos convives, une simple assiette plate suffira. En la posant sur un plat de même forme mais de taille supérieure et de couleur différente, le fromage sera davantage mis en valeur.

Si vous décidez en revanche d'offrir un assortiment de fromages à vos invités, c'est le plateau qui s'avère indispensable.

Plusieurs options sont alors envisageables.

Luxe et originalité : le plateau est en marbre ou en verre (transparent, coloré ou opaque).

Authenticité et naturel : le plateau est en bois brut, en osier tressé.

Simplicité : le plateau est un plat rond, sans fond, blanc de préférence.

Dans tous les cas, l'on peut rajouter des feuilles sous les fromages, en guise de décoration. J'avoue préférer alors les présentations naturelles : feuilles de vignes, de châtaigniers ou de marronniers.

Le couteau à fromage.

Certains créateurs proposent des modèles très originaux. Le célèbre couteau à manche corné, à bout fourchu et recourbé connaît une forte concurrence. Ce n'est que justice.

Si vous n'offrez qu'un seul fromage, le couteau "spécial fromage" s'impose.

Si vous proposez un plateau en revanche, il n'est pas suffisant.

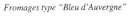
Fromages type "Bleu d'Auvergne"

Fromages de forme carrée,
type "Pont-l'Evêque"

Fromages de chèvre, forme pyramidale

Fromages de type "Trappiste"

dessins Marc Gil

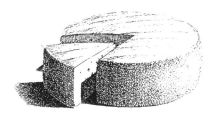

En effet, les différentes textures des pâtes et la diversité des goûts demandent des précautions. "Bribes de Roquefort sur Pouligny-Saint-Pierre" : il n'est pas sûr que le mélange soit délectable. Faute de soins, le dernier servi de la table risque de déguster, bien malgré lui, des macédoines fromagères.

Pour éviter ces désagréments, il est utile de prévoir un couteau par type de pâte. Evidemment, il ne s'agit pas de multiplier les couteaux dits "à fromage" ceux du service de table habituel feront très bien l'affaire. Afin de faciliter la découpe, ils pourront être préalablement passés sous l'eau chaude.

Pour les fromages coulants, le flux crémeux peut être stoppé grâce à des cales en bois, en verre ou en marbre.

Pour les Vacherins entiers, la cuillère est indispensable.

Les couverts des convives.

Faut-il changer les assiettes pour le fromage?

Oui, sans aucun doute. Il est même nécessaire de remplacer le couteau.

Sans être obligatoire, la fourchette est commode, pour enlever la peau notamment.

L'usage mondain voudrait que seul le couteau soit utilisé : le pain tenu de la main gauche cale le morceau de fromage, porté illico à la bouche. C.Q.F.D.

Personnellement, j'opterais pour la fourchette, préférant mettre mes invités à l'aise. Ceux qui ont décidé notamment de manger leur fromage sans pain en feront au moins bon usage.

Pour les desserts, il faudra bien sûr prévoir un nouveau lot d'assiettes.

La découpe.

L'on voudra bien, pour cet exercice périlleux, se reporter aux schémas.

Afin, encore une fois, de faciliter la tâche des invités, le maître de maison engage lui-même le ou les couteaux dans les fromages présentés et peut servir quelques personnes. Le mode d'emploi des découpes est ainsi résolu.

Pour les disques, les portions partent du centre et sont triangulaires.

Pour les carrés, c'est le même procédé qui prévaut.

Pour les coeurs, le centre est toujours le pivot de la découpe, qui s'effectue en triangles.

Fromages de type "Emmental"

Fromages de type "Camembert"

Fromages de type "Bries"

Fromages de type "Tommes"

dessins Marc Gil

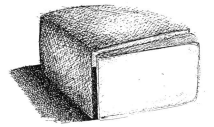

Pour les petits chèvres de forme ronde, il faut prévoir un fromage pour deux personnes : la découpe se fait par moitié.

Pour les fromages type meules (Cantal, Salers) ou pour les Bries découpés préalablement chez le crémier, faire des morceaux parallèles à l'un des bords.

Pour les pyramides, travailler en triangles en gardant le centre pour pivot.

Pour les bûches type Sainte-Maure, découper en rondelles.

Pour les fourmes découpées chez le crémier, garder le centre et pratiquer des triangles.

Pour le Roquefort et autres pâtes persillées découpées en quartiers, coucher le fromage sur le flanc et partir du bord en agrandissant l'ouverture.

Pour les formes demi sphériques, faire des triangles en partant du centre.

Pour l'Emmental industriel, qui se présente sous la forme d'un parallélépipède parfait, couper du côté opposé à la croûte des lamelles moyennes.

Pour les tommes et les fromages types *trappistes* généralement précoupés, faire des tranches assez fines, parallèles à l'entame.

Le plateau ou l'unité?

Dans la tradition picturale des Natures Mortes au XVIIème siècle, la boule de fromage était souvent à l'honneur.

Deux, parfois trois fromages étaient représentés. C'est le cas du tableau de **Van Schooten** au musée de Louvre : le réalisme de cette peinture permet même d'apprécier le degré d'affinage de chacun des fromages.

A la Restauration, la pratique de l'accumulation des fromages et du plateau se généralise. Elle s'explique sans doute par le désir de satisfaire au mieux tous les invités.

Comment faire un plateau?

Il faut choisir au moins trois fromages, de trois familles différentes. Une pâte cuite, une pâte persillée et une pâte molle par exemple.

Un "beau" plateau comprend jusqu'à huit fromages : il régalera au moins quinze personnes.

Mais l'art de faire un plateau ne consiste pas seulement à proposer un grand nombre de fromages. Varier les familles signifie varier les saveurs. Sur une table, le plateau doit aussi égayer : les formes et les couleurs ont leur importance.

Faire un plateau se prépare. L'on proposera quelques idées, qui n'ont certes pas un caractère définitif et obligatoire.

Le plateau régional est intéressant : il a un côté exotique qui ravit souvent les invités. Servir des vins régionaux est alors conseillé.

Si vous connaissez le goût des gens qui seront à votre table, un assortiment de chèvres est souvent apprécié. Il faut qu'ils proviennent de régions différentes et que leur degré d'affinage soit varié.

Enfin, n'ayez pas peur de sortir des sentiers battus : un plateau du type "triple-crème, vieux Morbier, Epoisses et Neufchâtel" en étonnera plus d'un.

Derniers conseils d'importance :

- les fromages doivent se présenter sur le plateau, débarrassés de leurs emballages de papier.

-pour ne pas qu'ils sèchent, préparez votre plateau quelques heures seulement avant le repas et recouvrez-le d'un linge en toile humide.

-les portions trop importantes sont de mauvais goût : elles détruisent l'équilibre de l'ensemble.

-les fromages aromatisés doivent être placés à part.

-les fromages ne doivent en aucune façon se toucher. Il faut éventuellement en enlever quelques-uns ou prévoir un plateau plus grand.

-le maître de maison doit être capable de conseiller ses convives : il doit connaître le nom et la région des fromages; il doit aussi renseigner sur le goût de chacun d'eux. Ces indications peuvent bien sûr, être préalablement données par le crémier.

Cela étant, la formule du plateau n'a rien d'obligatoire. Selon le nombre d'invités et la configuration du repas, un seul fromage peut parfaitement convenir.

Un Vacherin, un Livarot, un Pouligny-Saint-Pierre accompagné d'une salade de mâche à l'huile d'olive non vinaigrée : les exemples sont nombreux.

Le grand gastronome Curnonsky, ami d'Alphonse Allais, n'aimait d'ailleurs pas les plateaux. A *"la terrible promiscuité de la planche à fromages où tous les arômes se confondent"*, il préférait la saveur tranquille d'un seul.

b) Comment accompagner les fromages?

Les vins.

Il est traditionnel en France de considérer le fromage comme un faire-valoir du vin.

Au risque d'en choquer plus d'un, cette affirmation n'est pas toujours vraie, loin s'en faut. Les subtilités d'un très grand Bordeaux par exemple ne résistent pas à la saveur charnue et relevée d'un Camembert. Vins et fromages ne font pas forcément bon ménage.

Beaucoup jugent bon de servir leur meilleur vin sur du fromage. Un grand vin est pourtant rarement mis en valeur par le fromage. L'inverse en revanche est plus vrai, mais était-ce le but de la manoeuvre? Pas si sûr...

Quant aux guides qui proposent un vin pour chaque fromage, quel casse-tête! Si le malheureux amphitryon suit à la lettre ces beaux conseils, il n'a plus qu'à transporter sa cave sur la table!

Pour choisir un vin, il faut considérer ce qui a été bu auparavant. Il est vrai que "Roquefort et Sauternes" font un savoureux mélange mais si ce vin a déjà été servi sur du foie gras, un blanc moelleux à nouveau sera de trop.

Accompagner certains fromages avec des alcools insolites tels que la fine, le marc de Bourgogne, le Calvados n'est pas une mauvaise idée. Néanmoins, si du vin est ensuite prévu avec le dessert, l'alliance finale sera impossible. Resterait alors à adopter la solution dite " à l'anglaise", qui consiste à prendre le dessert avant le fromage. Etonnement assuré autour de la table...

Deux règles simples et commodes peuvent finalement être suivies : l'on peut savourer le fromage avec le vin qui accompagnait la viande; en cas de plateau, la solution la plus simple est de choisir un rouge corsé, du type Côte-du-Rhône, Provence, Madiran, Côtes-de-Duras, Cahors.

Les conseils prodigués ci-dessous n'ont évidemment pas un caractère définitif. Ils s'appliquent lorsque votre choix s'est porté sur un seul fromage ou sur des fromages de la même famille. Le classement reproduit est celui adopté dans l'ouvrage : il répertorie les fromages par pâtes, plus rarement par saveurs. L'on remarquera enfin que contrairement aux idées reçues, les vins blancs conviennent aux fromages plus souvent que les rouges.

Fromages de chèvres secs ou demi-affinés : Sancerre blanc, Bourgogne blanc (excellent sur un crottin de Chavignol), Bordeaux blanc sec, Sauvignon des Côtes-de-Duras.

Fromages de chèvres frais : Crémant, Bourgogne-aligoté, Montlouis, Vouvray et rosés.

Fromages à pâtes persillées :
-sur le Roquefort : Sauternes, vins blancs "vendanges tardives", Muscat-de-rivesaltes, Banyuls, grand Porto.
-sur les autres "bleus" : blancs moelleux, Beaujolais, Côtes-du-Rhône, Gigondas, Châteauneuf-du-Pape.

Fromages à pâtes molles et à croûte lavée, à saveur très prononcée (Pont l'Evêque, Livarot, Maroilles, Roquefort, Epoisses, Munster) : il faut choisir des vins du Sud : Côtes du Rhône, Gigondas, Châteauneuf du Pape, Madiran, Cahors, Côtes-du-Roussillon, Côtes-de-Duras.
Un Gewürztraminer ou un "vendanges tardives" sera parfait sur le Munster et le Livarot.

Fromages à saveur prononcée (Saint-Nectaire, Camembert, Reblochon): Condrieu, Bourgogne rouge, Touraine, Gamay.

Fromages à pâtes pressées non cuites (Cantal, Laguiole, Salers, Brebis des Pyrénées) : Bourgueil, Chinon, Provence rouge, Gaillac rouge, Graves et Médoc rouges.

Fromages à pâtes pressées cuites : (Emmental, Comté, Beaufort) : Graves blancs, Côtes de Provence blanc, rosés secs, Blancs du Jura.

Fromages à pâtes fondues : Blancs de Savoie, Côtes-du-Rhône, Rosés et Riesling.
Pour simplifier, avec un fromage à saveur prononcée, l'on choisira un rouge du Midi, un Sauternes, un "vendanges tardives" ou un vin doux (Banyuls); dans les autres cas, un Gamay, un Loire rouge, un Beaujolais, un vin blanc demi-sec ou un moelleux.

Les pains

Hormis pour les pâtes fraîches, le pain doit

obligatoirement accompagner les fromages.

Point capital : si vous avez acheté des fromages de qualité, il est indispensable de proposer du bon pain.

Là encore, point de lois : une seule sorte de pain peut suffire. J'opterais personnellement pour la miche de campagne, à mie serrée.

Devant un beau plateau de fromages, des pains différents seront pourtant les bienvenus.

Le pain grillé, nature, aux noix ou aux raisins se marie bien avec les pâtes persillées.

Le pain complet, de seigle ou aux céréales accompagne volontiers les pâtes molles à croûte lavée.

La baguette tendre et craquante avec le Camembert est un classique.

Plus généralement, la baguette convient aux pâtes molles à croûte fleurie.

Le pain brioché, pain de gruau et pain viennois sont excellents avec le triple-crème. Ils peuvent facilement accompagner les fromages de chèvres peu affinés.

Autres mariages : le pain au lard et le Cantal; la fougasse et le chèvre frais; le pain au cumin et l'Epoisses, le Munster ou le Langres.

La salade.

Personnellement, je préfère manger la salade à part.
En effet, le goût astringent du vinaigre dénature les pâtes molles à croûtes fleuries et lavées et même les pâtes persillées.

Certaines pâtes pressées, comme l'Emmental, se marient mieux avec une salade relevée.

La salade à l'huile d'olive et le fromage de chèvre font un savoureux mélange. L'on peut même ajouter alors des dés de tomate concassée.

Le beurre.

Faut-il ou non manger du beurre avec le fromage? Sujet délicat.

La tradition normande et charentaise y est favorable.

Personnellement, je n'en rajoute quasiment jamais, considérant le fromage comme un produit achevé.

Néanmoins, le beurre peut parfois servir à adoucir une salaison trop forte, cas du Camembert en été par exemple.

Si vous êtes des amateurs inconditionnels de beurre,

préférez de loin le beurre au *lait cru*. Un crémier digne de ce nom doit en vendre, à la coupe ou en portions pré-découpées : la différence avec le beurre pasteurisé vous surprendra.

c) La conservation du fromage.

Vous avez décidé d'offrir à vos invités un plateau de bons et beaux fromages. Achetez-les le jour même et surtout pas la veille : le fromage véritable est un produit qui ne se conserve pas facilement. Il ne faut donc pas acheter des produits fermiers pour faire des provisions : la pasteurisation a au moins cet avantage.

Le plus souvent, maintenez les fromages au bas du réfrigérateur, sans les sortir de leurs emballages d'origine.

Une à deux heures avant de passer à table, vous pouvez retirer vos achats. Pensez-y surtout, car c'est très important : un fromage froid perd l'essentiel de sa saveur!

Enlevez les papiers d'origine un quart d'heure avant de servir les fromages et dressez votre plateau. Vous pouvez certes le faire plus tôt, mais il faudra recouvrir les fromages d'un linge un peu humide. Le tout est d'éviter le dessèchement ou la coulure due au contact de l'air et à la chaleur.

Que faire pour conserver dans leur meilleur état les fromages restants?

Tout le monde ne possède pas une cave humide et des *paillons* sur lesquels poser ces fromages. Tout le monde n'a pas la patience de se rendre à la cave pour les retourner.

Le bas du réfrigérateur reste donc l'endroit adéquat.

Pour les pâtes persillées, les recouvrir d'une feuille d'aluminium ménager et les mettre dans le bas du réfrigérateur. Elles se conservent quatre jours environ. Bien entendu, une tranche conséquente gardera une plus grande tenue qu'un petit morceau de fromage. Si vous n'avez pas de papier aluminium, vous pouvez entourer ces fromages d'un linge humide et les placer toujours au bas du réfrigérateur, dans une boîte hermétique. Dans un cas comme dans l'autre, il faut les sortir une heure avant le repas.

La conservation des chèvres est plus facile, surtout pour les fromages secs. Entourez-les d'une feuille de cellophane afin d'éviter le dessèchement. Placez-les au bas du réfrigérateur.

Pour les pâtes molles à croûte fleurie, conservez l'emballage d'origine s'il existe. La boîte en bois sera ainsi recouverte d'aluminium. Il faut manger ces fromages rapidement : à l'air ambiant, ils dépérissent rapidement et dégagent une forte odeur.

Pour les pâtes molles à croûte lavée, les envelopper dans

du papier cellophane et les placer au bas du réfrigérateur. Ils ne se conservent pas au-delà de trois jours.

Pour les pâtes pressées, il faut éviter le dessèchement. Les recouvrir de papier sulfurisé et les placer au bas du réfrigérateur. Les retirer une heure avant de les manger.

Les fromages frais se mangent très rapidement. Les produits pasteurisés ont une date limite de consommation; les produits fermiers ne se conservent pas au-delà de deux à trois jours.

CONCLUSION

Faut-il ou non manger la *croûte* du fromage? Les professionnels patentés le déconseillent doublement.

D'une part pour des raisons de goût : elle peut dénaturer les saveurs les plus subtiles. D'autre part, parce que les problèmes de listériose sont dus, pour la plupart, à des germes contenus dans la "peau" des fromages.

Certains amateurs ont pourtant des avis divergents sur la question.

En France, entre la poire et le fromage, la croûte se transforme souvent en une pomme de discorde.

Je me garderai bien de contredire ceux pour qui, manger un Reblochon en le détroussant de sa peau, relève du crime. Mais je continuerai pour ma part à commettre l'irréparable.

Faisons donc la paix des braves au sujet de la croûte du fromage et rangeons-nous sagement à l'avis de Rabelais :

"Fay ce que voudras".

La liberté doit également prévaloir pour l'achat des fromages.

Les produits industriels se conservent. On les trouve facilement dans les *supermarchés*. Ils ont l'avantage de n'être pas trop chers. Faute d'avoir beaucoup de goût, ces fromages sont souvent d'une qualité honnête.

Pourtant, si la France est "Le pays du fromage", c'est aux savoir-faire fermiers qu'elle le doit. Des laiteries industrielles honorables tentent d'ailleurs de les perpétuer.

Mais ces produits au lait cru et fabriqués artisanalement sont fragiles. Ils valent cher, surtout en dehors de leur zone d'origine.

Acheter du fromage industriel en supermarché n'a donc rien de criminel. Mais il faut bien avouer que la commodité prévaut alors sur le charme. Aseptisé, enveloppé, réfrigéré et pré-découpé, le fromage perd de sa magie. Dans un supermarché, il ne sent même plus, c'est dire !

La *crémerie* est au contraire un temple du fromage. Il y règne une atmosphère vaguement sacrale. Lorsqu'un gourmet au "cerveau caséiforme" en franchit l'entrée, il s'attarde, regarde et flâne. Il explore ce royaume du goût, des formes et des odeurs retrouvées. Il se délecte à l'idée des saveurs qu'il va pouvoir débusquer. C'est qu'il n'est pas seulement là pour se nourrir, nuance.

Cet amateur à l'affût sait bien lui, qu'un bon crémier est bien plus qu'un vendeur de fromages.

LISTE DES MOTS TECHNIQUES

L' indication :
- *(cf infra) signifie "voir ce mot ci-dessous".*
- *(cf supra) signifie "voir ce mot au-dessus".*

Affinage : mot désignant le processus de maturation du fromage. Après égouttage (cf infra), la plupart des fromages sont affinés. Ils développent alors une croûte (cf infra); leur odeur évolue; leur goût s'élabore.

Alpage : pâturage de haute montagne, riche en saveurs. Le lait d'alpage est recherché pour fabriquer de grands fromages.

Babeurre : Lors de la préparation du beurre, le liquide blanchâtre qui reste du lait après le battage de la crème s'appelle le babeurre.

Bleus : appellation coutumière pour désigner les pâtes persillées.

Bocage : le mot est originaire de la Normandie. Le "bosc" désigne un bois. Aujourd'hui, le bocage est un pré ombragé d'arbres.

Bovins : le mot vient de "boeuf" et désigne les boeufs, les vaches, les taureaux, les veaux.

Brossage : certains fromages, au cours de l'affinage (cf supra) sont brossés. La croûte (cf infra), souvent lavée, prend ainsi plus d'épaisseur.

Buron : le mot désigne une petite cabane où, en Auvergne, le fromage se fabriquait artisanalement.

Cabanier, ière : terme désignant les ouvriers préposés à la fabrication des pains de Roquefort.

Caillage : métamorphose que subit le lait quand il est passé, "tourné". Le lait caille naturellement mais le plus souvent, de la présure (cf infra) est utilisée pour accélérer le processus.

Caillé ou Coagulum : c'est le résultat du caillage (cf supra) : le lait perd de sa liquidité et devient grumeleux.

Caprin, ne : relatif à la chèvre.

Caséine : du latin "caseus" qui signifie "fromage". La caséine est l'ensemble des substances protidiques qui composent l'essentiel du fromage.

Caséeux, se : de la nature du fromage. Le mot vient du latin "caseus" : fromage.

Cendré : se dit d'un fromage saupoudré de cendres de bois ou affiné dans de la cendre.

Chaumes : flancs dégarnis d'une montagne. Aujourd'hui, les chaumes sont synonymes d'herbages gras et odorants.

Coaguler : se dit du lait quand il commence "à prendre", quand le caillé (cf supra) se forme.

Coeur (fromage fait à) : se dit d'un fromage souple au toucher et dont la pâte est crémeuse sans être coulante.

Croûte : La "peau" n'existe pas chez les fromages frais. Elle apparaît au cours de l'affinage (cf supra), elle s'appelle alors la croûte.

Cru : le fromage au lait cru est fabriqué à partir d'un lait qui n'a pas été fortement chauffé. Il conserve ainsi toutes ses saveurs.

Double-crème : nom générique de fromages enrichis en crème, qui comportent environ 60% de matières grasses. Ils ont une saveur douce et crémeuse.

Ecrémé : se dit du lait qui a été partiellement dépouillé de sa matière grasse.

Egouttage : processus qui suit le caillage (cf supra) et qui consiste à assécher partiellement la pâte fraîche. La faisselle (cf infra) permet un meilleur égouttage.

Emprésurage : ajout de présure (cf infra) au lait pour le faire coaguler (cf supra) plus vite.

Ensemencement : procédé qui consiste à répandre des moisissures au-dessus du caillé (cf supra).

Ensilage : procédé de conservation des herbages qui consiste à les faire fermenter en silos, réservoirs préposés à cet effet.

Entier : se dit du lait qui est utilisé tel quel, avec toutes ses matières grasses, à la différence du lait écrémé.(cf supra).

Etamer : recouvrir d'une couche d'étain. Les bleus (cf supra) sont parfois recouverts d'une feuille d'étain pour stopper la floraison des champignons.

Etuvé : se dit de certains fromages qui ont un affinage (cf supra) prononcé. (voir par exemple les commentaires sur l'Edam français frais, étuvé et demi-étuvé).

Faisselle : du latin "fiscella", le mot désigne un récipient à forme variable percé de trous et permettant à l'égouttage (cf supra) de se faire.

Fourrage : herbages séchés naturellement. Le fourrage sert surtout à nourrir le bétail pendant l'hiver.

Fourme : ce mot est une variante de "forme". Généralement, la fourme est un fromage au lait de vache, à pâte pressée et de forme cylindrique fabriqué dans le Centre-Est de la France. (fourme d'Ambert, fourme de Cantal).

Frais : le fromage frais n'est pas affiné. Il arrive qu'il soit battu. Il se consomme rapidement.

Fruitière : le mot "fruit" désigne en Suisse le laitage. La fruitière est le lieu où se fabrique le fromage. Le mot est synonyme de haute montagne et de fabrication artisanale.

Hâloir : "hâler" signifie sécher. Le hâloir est un lieu ventilé où la quasi totalité des fromages de chèvre et certaines pâtes molles sont entreposés durant leur affinage (cf supra).

Lactation : le mot désigne la période pendant laquelle les animaux produisent leur lait.

Lavage : durant l'affinage (cf supra), le fromage est parfois lavé.

Meule : grand fromage en forme de disque très épais.(On parle de meules pour le Comté et l'Emmental).

Mixte : se dit d'un fromage élaboré à partir de plusieurs laits.

Morge : au cours du morgeage (cf infra), la croûte (cf supra) s'habille d'une matière visqueuse et vaguement gluante : la morge.

Morgeage : ce mot désigne le fait de frotter la peau de certains fromages avec de l'eau salée et/ou aromatisée. Ce processus se déroule pendant l'affinage (cf supra).

Moulage : le mot fromage vient du latin "forma", la forme. Pour que le fromage ait une forme, il est moulé, c'est-à-dire fabriqué avec un moule.

Naturelle : se dit de la croûte (cf supra) des fromages quand celle-ci n'a pas été ensemencée par des moisissures externes. Cette croûte se constitue alors naturellement.

Nu (à) : certains fromages, le plus souvent fermiers, sont présentés seuls, sans étiquettes ni emballages. On dit alors qu'ils sont vendus "à nu".

Ovins : le mot vient de "ovis", la "brebis" en latin. Les ovins désignent les brebis, béliers et moutons.

Paillon : mot masculin qui désigne une petite couche ou couverture de paille sur laquelle sont disposés certains fromages au moment d'être vendus. Le plus souvent, ces fromages sont présentés "à nu" (cf supra) sur ces paillons, ce qui semble indiquer des productions fermières ou artisanales.

Pain : terme utilisé pour désigner un fromage assez volumineux de forme cylindrique. On dira de certains "bleus" (cf supra) et du Roquefort qu'ils se présentent sous forme de pains.

Pasteurisation : procédé qui consiste à faire chauffer artificiellement le lait. Il y perd en goût mais les éléments éventuellement dangereux sont a priori éliminés.

Petit-lait : liquide qui reste une fois le caillage (cf supra) terminé. Généralement, le petit-lait n'entre pas dans la fabrication du fromage.

Pie (fromage à la) : se dit d'un fromage frais, sans affinage (cf supra) et qui est mangé soit avec des aromates, soit avec du sucre.

Pie : ce mot désigne souvent des races de vaches : "normande pie-noire", "pie-rouge", etc. Par analogie avec le plumage bicolore de l'oiseau voleur, le mot "pie" est employé pour désigner des animaux à robe bicolore.

Pis : mamelle d'une bête laitière (brebis, vache ou chèvre pour ce qui nous intéresse).

Présure : substance contenue dans l'estomac des veaux et plus précisément dans leur suc gastrique. La présure dispense une enzyme qui accélère le caillage (cf supra) des fromages.

Pressée : se dit de la pâte de certains fromages dont l'égouttage (cf supra) a été suivi d'une mise en presse, manuelle ou mécanique.

Prise (temps de) : temps que met le lait pour cailler (cf supra).

Retournage : durant l'affinage (cf supra), il arrive que les fromages soient tournés et retournés.

Saumure : eau salée qui sert souvent au salage du fromage.

Talon : le mot désigne l'extrémité et le rebord de la croûte (cf supra) de certains fromages.

Tank : réservoir de grande dimension qui sert à recueillir le lait après la traite (cf infra).

Tomme : ce nom générique est donné à des fromages de forme cylindrique, généralement de plus de 1 kg. Il est notamment employé pour désigner certains fromages de chèvres de Savoie.

Tourner : se dit du lait quand des caillots commencent à apparaître. Le lait tourné n'est plus propre à la consommation.

Traite : fait de tirer le lait du pis (cf supra) des animaux qui en produisent. La traite s'effectuait (jusqu'en 1950) le plus souvent à la main. Elle est aujourd'hui quasiment toujours mécanique.

Tranche-caillé : instrument utilisé pour briser, découper le caillé (cf supra).

Transhumance : le mot désigne une période de l'année qui va du mois d'avril au mois d'octobre environ et où le bétail se nourrit d'herbages (cf supra) de montagnes.

Trappiste : le mot désigne généralement un moine entré à la Trappe, ordre religieux chrétien très strict. Appliqué au monde plus séculièrement voluptueux des fromages, le trappiste est le plus souvent un fromage à pâte pressée, fabriqué en abbaye ou qui entre dans la tradition monastique.

Trayeuse : appareil mécanique qui sert à la traite (cf supra) des animaux.

Triple-crème : on appelle ainsi des fromages agrémentés de crème fraîche. Le taux des matières grasses est généralement de 75%.

Trous : durant l'affinage, certains fromages développent des "yeux", autrement appelés trous.

LISTE ALPHABÉTIQUE DES PRINCIPAUX FROMAGES

Certains fromages sont des variantes d'autres produits, plus connus et plus célèbres. Il suffit de se reporter à eux. Ils sont indiqués entre parenthèses, en lettres capitales. Le chiffre qui suit est le numéro de la page concernée.

BLEU DE LAQUEUILLE : (Auvergne). 61
BLEU DE LOUDES : (voir BLEU DE THIÉZAC). 61
BLEU DE SAINTE-FOY : (Rhône-Alpes). 54
BLEU DE SASSENAGE : (Rhône-Alpes). 49
BLEU DE SEPTMONCEL : (Franche-Comté). 41
BLEU DE TERMIGNON : (Rhône-Alpes). 55
BLEU DE THIÉZAC : (Auvergne). 61
BLEU DE TIGNES : (Rhône-Alpes). 54
BLEU DES CAUSSES : (Aquitaine, Pyrénées). 73
BLEU DU MÉZENC : (voir BLEU DE THIÉZAC). 61
BLEU DU QUERCY : (Aquitaine, Pyrénées). 74
BLEU DU VELAY : (voir BLEU DE THIÉZAC). 61
BONDARD : (Normandie). 97
BONDAROY AU FOIN : (Centre, Ile-de-F.). 88
BONDON DE NEUFCHÂTEL : (Normandie). 98
BOSSON MACÉRÉ : (Languedoc, Côte d'Azur). 63
BOUGON : (Poitou, Limousin). 78
BOUILLE : (Normandie). 98
BOULE DE LILLE : (voir MIMOLETTE). 33
BOULETTE D'AVESNES : (Nord-Picardie). 31
BOULETTE DE CAMBRAI : (Nord-Picardie). 31
BOULETTE DE LA PIERRE-QUI-VIRE : (Bourgogne). 44
BOUTONS DE CULOTTE : (voir MÂCONNAIS). 45
BOURSAULT : (Centre, Ile-de-F.). 90
BOURSIN : (Normandie). 99
BREBIS DES PYRÉNÉES : (Pyrénées). 75
BRACQ : (voir BROCQ). 36
BRESSAN : (Rhône-Alpes). 42 et 46
BRIE DE COULOMMIERS : (Centre, Ile-de-F.). 88
BRIE DE MEAUX : (Centre, Ile-de-F.). 87
BRIE DE MELUN : (Centre, Ile-de-F.). 87
BRIE DE MONTEREAU : (Centre, Ile-de-F.). 87
BRILLAT-SAVARIN : (Normandie). 98
BRINDAMOUR : (Corse). 66
BRIQUEBEC : (Normandie). 98
BRIQUE DU FOREZ : (Auvergne). 57
BRISÉGO : (Rhône-Alpes). 52
BROCA : (voir BROCQ). 36
BROCCIO : (Corse). 67
BROCQ : (Champagne-Alsace). 36
BROCKEL : (voir BROCQ). 36
BRILLAT-SAVARIN : (Normandie). 98
BROUSSE DE LA VÉSUBIE : (Languedoc, Côte d'Azur). 66
BROUSSE DU ROVE : (Languedoc, Côte d'Azur). 66

BÛCHE DU POITOU : (Poitou, Limousin). 80
CABÉCOU D'ENTRAGUES : (Aquitaine, Pyrénées). 74
CABÉCOU DE ROCAMADOUR : (voir ROCAMADOUR). 74
CABÉCOU DE LIVERNON : (Aquitaine, Pyrénées). 74
CABÉCOU DU PÉRIGORD : (voir ROCAMADOUR). 74
CACHAT : (Languedoc, Côte d'Azur). 66
CAILLEBOTE D'AUNIS : (Poitou, Limousin). 81
CAMEMBERT : (Normandie). 93
CANCOILLOTE : (Franche-Comté).42
CANTAL : (Auvergne). 58
CANTALON (Auvergne). 58
CAPRICE DES DIEUX : (Champagne-Alsace).37
CARRÉ BRETON : (Bretagne). 92
CARRÉ DE BRAY : (Normandie). 98
CARRÉ DE L'EST : (Champagne-Alsace). 36
CENDRÉ D'AISY : (Bourgogne). 44
CENDRÉS DE L'ARGONNE : (Champagne-Alsace). 35
CENDRÉS DES RICEYS : (CENDRÉS DE L'ARGONNE). 35
CENDRÉS D'HEILTZ-LE-MAURUPT : (CENDRÉS DE
L'ARGONNE). 35
CENDRÉS DE NOYERS-LE-VAL : (CENDRÉS DE
L'ARGONNE). 35
CENDRÉS DE TROYES : (CENDRÉS DE L'ARGONNE). 35
CENDRÉS DE BARBEREY: (CENDRÉS DE L'ARGONNE). 35
CENDRÉS D'ÉCLANCE : (CENDRÉS DE L'ARGONNE). 35
CENDRÉ DES ARDENNES : (voir ROCROI). 35
CERVELLE-DE-CANUT : (Rhône-Alpes). 49
CHABICHOU DU POITOU : (Poitou, Limousin). 78
CHAMBARAND : (Rhône-Alpes). 49
CHAMBÉRAT : (Auvergne). 60
CHAMOIS D'OR : (Bretagne). 92
CHAOURCE :(Champagne-Alsace). 33
CHAROLAIS : (Bourgogne). 45
CHAUMES : (Aquitaine, Pyrénées). 77
CHAUMONT : (voir LANGRES). 36
CHAVIGNOL-SANCERRE : (Centre, Ile-de-F.). 85
CHESTER : (Aquitaine, Pyrénées). 74
CHÈVRE À LA FEUILLE : (voir MOTHAIS). 78
CHÈVRES DE GUYENNE-GASCOGNE : (Aquitaine). 78
CHÈVRES DE L'EURE-ET-LOIR : (Centre, Ile-de-F.). 85
CHEVRET : (Franche-Comté). 42
CHÈVRETON D'AMBERT : (Auvergne). 57
CHÈVRETON DE MÂCON : (voir MÂCONNAIS). 45
CHÈVRETON DE VIVEROLS : (Auvergne). 57

LANGRES : (Champagne-Alsace). 36
LARRONS D'ORS ou LARRON : (Nord-Picardie). 29
LARUNS : (voir BREBIS DES PYRÉNÉES). 76
LAUMES : (voir ÉPOISSES). 44
LEVROUX : (voir VALENCAY). 84
LIGUEIL : (voir SAINTE-MAURE). 82
LIVAROT : (Normandie). 95
LORMES : (Bourgogne). 46
LORRAINE : (Champagne-Alsace). 38
LUSIGNAN : (Poitou, Limousin). 81
MÂCONNAIS : (Bourgogne). 45
MAMIROLLE : (Franche-Comté). 42
MAROILLES : (Nord-Picardie). 27
MAROILLES GRIS : (voir GRIS DE LILLE). 29
MIGNOT : (Normandie). 96
MIMOLETTE : (Nord-Picardie). 32
MONCHELET : (voir ROLLOT). 32
MONSIEUR : (Normandie). 98
MONT-DES-CATS : (Nord-Picardie). 33
MONT-D'OR DU LYONNAIS : (Rhône-Alpes). 48
MONTOIRE : (Centre, Ile-de-F.). 84
MONTRACHET : (Bourgogne). 45
MONTSÉGUR : (Aquitaine, Pyrénées). 75
MORBIER : (Franche-Comté). 41
MOTHAIS : (Poitou, Limousin). 78
MUNSTER : (Champagne-Alsace). 37
MUROL : (Auvergne). 60
NANTAIS : (Bretagne). 92
NEUFCHÂTEL : (Normandie). 97
NIOLO : (Corse). 67
OLIVET : (voir OLIVET). 86
OLIVET CENDRÉ : (Centre, Ile-de-F.). 86
ORRYS : (Aquitaine, Pyrénées). 75
OSSAU-IRATY-BREBIS DES PYRÉNÉES : (Aquitaine,
Pyrénées). 75
PANNES : (Centre, Ile-de-F.). 98
PARABELS : (Auvergne). 58
PARTHENAY : (Poitou, Limousin). 80
PASSE L'AN : (Aquitaine, Pyrénées). 75
PATAY : (Centre, Ile-de-F.). 86
PAVÉ BLÉSOIS : (Centre, Ile-de-F.). 89
PAVÉ D'AUGE : (Normandie). 97
PAVÉ DE MOYAUX : (voir PAVÉ D'AUGE). 97
PAVÉ DE SOLOGNE : (voir PAVÉ BLÉSOIS). 89

PÈBRE D'AÏ : (voir POIVRE D'ÂNE). 66
PÉLARDON D'ALTIER : (PÉLARDON DES CÉVENNES). 62
PÉLARDON D'ANDUZE : (PÉLARDON DES CÉVENNES). 62
PÉLARDON DES CÉVENNES : (Languedoc, Côte d'Azur). 62
PÉLARDON LANGUEDOC-ROUSSILLON :(Languedoc). 62
PERSILLÉ DE HAUTE-TARENTAISE : (Rhône-Alpes). 55
PERSILLÉ DE THÔNES : (Rhône-Alpes). 55
PERSILLÉ DES ARAVIS : (Rhône-Alpes). 55
PERSILLÉ DU GRAND BORNAND : (Rhône-Alpes). 55
PERSILLÉ DU MONT-CENIS : (Rhône-Alpes). 55
PÉTAFINE : (Rhône-Alpes). 51
PETIT BESSAY : (Auvergne). 62
PETIT BRESSAN : (voir BRESSAN). 42 et 46
PETIT-LISIEUX : (Normandie). 96
PETIT REBLOCHON : (voir REBLOCHON). 53
PICADOU : (voir ROCAMADOUR). 74
PICODON DE LA DRÔME : (Rhône-Alpes). 50
PICODON DE SAINT-AGRÈVE : (Rhône-Alpes). 50
PICODON DE VALRÉAS : (Languedoc, Côte d'Azur). 63
PIERRE-QUI-VIRE : (voir ÉPOISSES). 44
PIGOUILLE : (Poitou, Limousin). 81
PITHIVIERS AU FOIN : (voir BONDAROY AU FOIN). 88
POIVRE D'ÂNE : (Languedoc, Côte d'Azur). 66
PONT-L'ÉVÊQUE : (Normandie). 96
POULIGNY-SAINT-PIERRE : (Centre, Ile-de-F.). 82
POURLY : (Bourgogne). 46
POUSTAGNAC : (Aquitaine). 77
PUANT MACÉRÉ : (voir GRIS DE LILLE). 29
PUANT DE LILLE : (voir GRIS DE LILLE). 29
RAMEQUIN DE LAGNIEU : (Rhône-Alpes). 42 et 46
REBLOCHON : (Rhône-Alpes). 52
REBLOCHONNET : (voir REBLOCHON). 53
RIGOTTE DE CONDRIEU : (Rhône-Alpes). 48
RIGOTTE DE PÉLUSSIN : (Auvergne). 57
ROCAMADOUR : (Aquitaine, Pyrénées). 74
ROCROI : (Champagne-Alsace). 35
ROGERET DES CÉVENNES : (Rhône-Alpes). 50
ROLLOT : (Nord-Picardie). 32
ROQUEFORT : (Aquitaine, Pyrénées). 70
RUFFEC : (Poitou, Limousin). 80
SABLEAU : (Poitou, Limousin). 81
SAINGORLON : (Franche-Comté). 42
SAINT-AGUR : (Auvergne). 62
SAINT-ALBRAY : (Aquitaine, Pyrénées). 77

SAINT-BENOÎT : (Centre, Ile-de-F.). 88
SAINT-FÉLICIEN : (Rhône-Alpes). 49
SAINT-FLORENTIN : (Bourgogne). 44
SAINT-GELAIS : (voir SAINT-MAIXENT). 80
SAINT-LOUP : (Poitou, Limousin). 81
SAINT-MAIXENT : (Poitou, Limousin). 80
SAINT-MARCELLIN : (Rhône-Alpes). 49
SAINT-MÔRET : (Aquitaine). 78
SAINT-NECTAIRE : (Auvergne). 59
SAINT-PAULIN : (Bretagne). 92
SAINT-RÉMY : (Champagne-Alsace). 36
SAINT-SAVIOL : (Poitou, Limousin). 80
SAINT-WINOC : (Nord-Picardie). 32
SAINTE-MAURE : (Centre, Ile-de-F.) 82
SALERS : (Auvergne). 58
SANTRANGES-SANCERRE : (Centre, Ile-de-F.). 85
SARTENO : (Corse). 67
SAUZE-VAUSSAIS : (Poitou, Limousin). 80
SAVARON : (Auvergne). 59
SELLES-SUR-CHER : (Centre, Ile-de-F.). 84
SOUMAINTRAIN : (Bourgogne). 44
SUPRÊME DES DUCS : (Bourgogne). 46
TARTARE : (Aquitaine). 78
TOMME BOUDANDE : (voir TOMME DE SAVOIE). 54
TOMME D'ABONDANCE : (Rhône-Alpes). 53
TOMME DE BELLEY : (Rhône-Alpes). 42 et 48
TOMME DE BRACH : (Poitou, Limousin). 81
TOMME DE CAMARGUE : (Languedoc, Côte d'Azur). 66
TOMME DE COMBOVIN : (Rhône-Alpes). 50
TOMME DE CORPS : (Rhône-Alpes). 50
TOMME DE COURCHEVEL : (voir TOMME DE SAVOIE). 54
TOMME DE CREST : (Rhône-Alpes). 50
TOMME AU FENOUIL : (Rhône-Alpes). 54
TOMME DE LIVRON : (Rhône-Alpes). 50
TOMME AU MARC : (Rhône-Alpes). 54
TOMME DE ROMANS : (Rhône-Alpes). 49
TOMME DE SAVOIE : (Rhône-Alpes). 54
TOMME DE SOSPEL : (Languedoc, Côte d'Azur). 63
TOMME DE VALBERG : (Languedoc, Côte d'Azur). 66
TOMME DE VENTOUX : (voir CACHAT). 66
TOMME DES ALLUES : (Rhône-Alpes). 55
TOMME DES BAUGES : (voir TOMME DE SAVOIE). 54
TOMME DES BELLEVILLE : (voir TOMME DE SAVOIE). 54
TOMME DU PELVOUX : (Languedoc, Côte d'Azur). 63

TOMME DU VERCORS : (Rhône-Alpes). 50
TOUPIN : (Rhône-Alpes). 53
TOURNON-SAINT-PIERRE : (Centre, Ile-de-F.). 82
TRAPPISTE D'ENTRAMMES : (Bretagne). 90
TRAPPISTE DE BELVAL : (Nord-Picardie). 32
TRAPPISTE DE CAMPÉNÉAC :(Bretagne). 90
TRAPPISTE DE CÎTEAUX : (Bourgogne). 45
TRAPPISTE DE LA COUDRE : (Bretagne). 92
TRAPPISTE DE LA MEILLERAYE : (Bretagne). 90
TRAPPISTE D'IGNY : (Champagne-Alsace). 35
TRAPPISTE DE TAMIÉ : (Rhône-Alpes). 53
TRAPPISTE DE TIMADEUC : (Bretagne). 92
TROIS-CORNES : (voir SABLEAU). 81
TROYEN CENDRÉ : (voir BARBEREY). 35
VACHARD : (Auvergne). 60
VACHERIN D'ABONDANCE : (Rhône-Alpes). 53
VACHERIN DES AILLONS : (Rhône-Alpes). 53
VACHERIN DES BAUGES : (Rhône-Alpes). 53
VACHERIN-MONT D'OR : (Franche-Comté). 40
VALDEBLORE : (voir TOMME DE VALBERG). 66
VALENCAY : (Centre, Ile-de-F.). 84
VÉNACO : (Corse). 67
VENDÔME CENDRÉ : (Centre, Ile-de-F.). 86
VERMENTON : (Bourgogne). 45
VIEUX LILLE : (voir MIMOLETTE). 33
VIEUX PANÉ : (Bretagne). 92
VILLEBAROU : (Centre, Ile-de-F.). 88
VILLIERS-SUR-LOIR : (Centre, Ile-de-F.). 84
VOID : (Champagne-Alsace). 36
VOVES CENDRÉ : (Centre, Ile-de-F.). 86

TABLE DES MATIÈRES

III. APPRÉCIER LE FROMAGE